무지개보카
workbook
고등 초급편

목차

Day 1.

1	**humid**	[ˈhjuː.mɪd]	a. 습한, 습기가 있는
2	**barn**	[bɑːn]	n. 외양간, 헛간
3	**gulf**	[gʌlf]	n. 만, 격차
4	**ruin**	[ˈruː.ɪn]	v. 망치다, 파산시키다; 파산, 붕괴
5	**torture**	[ˈtɔː.tʃər]	n. 고문, 심한 고통 v. 고문하다
6	**vegetation**	[ˌvedʒ.ɪˈteɪ.ʃən]	n. 생장, 초목; 무위도식
7	**surplus**	[ˈsɜː.pləs]	a. 과잉, 과잉의
8	**drown**	[draʊn]	v. 익사하다, 익사시키다
9	**paddle**	[ˈpæd.əl]	n. (작은 보트의) 노, 주걱
10	**pedestrian**	[pəˈdes.tri.ən]	n. 보행자; 평범한, 진부한
11	**rear**	[rɪər]	a. 뒤쪽; 뒤쪽의; 기르다, 양육하다
12	**swell**	[swel]	n. 팽창 v. 부풀다, 부풀어 오르다
13	**aspiration**	[ˌæs.pɪˈreɪ.ʃən]	n. 열망, 포부, 대망, 동경
14	**approximate**	[əprɒ́ksəmət ǀ -rɑ́k-]	v. 가까워지다, 근접하다 a. 근사치의, 대략적인
15	**revenue**	[ˈrev.ən.juː]	n. 수입, 세입, 세수
16	**county**	[ˈkaʊn.ti]	n. 자치주, 군(미국 대부분 주의 최소 행정 구역)
17	**crater**	[ˈkreɪ.tər]	n. 분화구
18	**desolate**	[ˈdes.əl.ət]	a. 황량한, 쓸쓸한
19	**district**	[ˈdɪs.trɪkt]	n. 선거구 지역, 구역
20	**clone**	[kləʊn]	n. 복제 생물, 클론; 복제하다
21	**embassy**	[ˈem.bə.si]	n. 대사관
22	**equator**	[ɪˈkweɪ.tər]	n. (지구를) 동일하게 나누는 것, 적도
23	**exotic**	[ɪgˈzɒt.ɪk]	a. 바깥의, 해외의, 이국적인
24	**magnificent**	[mægˈnɪf.ɪ.sənt]	a. 장엄한, 당당한
25	**mast**	[mɑːst]	n. 돛대, 마스트, 기둥
26	**sheer**	[ʃɪər]	a. 얇은, 순수한
27	**summit**	[ˈsʌm.ɪt]	n. 정상, 산꼭대기 a. 정상회담의
28	**vine**	[vaɪn]	n. 포도나무, 덩굴 식물
29	**comet**	[ˈkɒm.ɪt]	n. 혜성
30	**dissolve**	[dɪˈzɒlv]	v. 녹이다; 종료시키다, 없어지다, 소실되다
31	**belong to N**		p. ~에 속하다
32	**appear to do**		p. ~하는 것으로 보이다
33	**A rather than B**		p. A다 B라기 보다는
34	**hand down**		p. ~을 물려주다
35	**at a low price**		p. 낮은 가격으로
36	**recover from**		p. ~에서 회복하다
37	**be divided into**		p. 나누어지다, 분할되다
38	**by turns**		p. 차례로
39	**consist in**		p. ~에 근거하다
40	**adapt to N**		p. ~에 적응하다

번호	영어	한글	글자수
1	vine		
2	A rather than B		
3	adapt to N		
4	approximate		
5	paddle		
6	consist in		
7	desolate		
8	at a low price		
9	magnificent		
10	appear to do		
11	crater		
12	torture		
13	barn		
14	rear		
15	county		
16	surplus		
17	humid		
18	revenue		
19	by turns		
20	recover from		

번호	영어	한글	글자수

번호	한글	영어	글자수
21	p. 나누어지다, 분할되다	b	13 (p.)
22	n. 정상, 산꼭대기 a. 정상회담의	s	6
23	v. 망치다, 파산시키다; 파산, 붕괴	r	4
24	v. 녹이다; 종료시키다, 없어지다, 소실되다	d	8
25	n. 돛대, 마스트, 기둥	m	4
26	p. ~에 속하다	b	9 (p.)
27	p. ~을 물려주다	h	8 (p.)
28	n. (지구를) 동일하게 나누는 것, 적도	e	7
29	n. 혜성	c	5
30	n. 보행자; 평범한, 진부한	p	10
31	n. 선거구 지역, 구역	d	8
32	n. 대사관	e	7
33	n. 복제 생물, 클론; 복제하다	c	5
34	n. 팽창 v. 부풀다, 부풀어 오르다	s	5
35	n. 생장, 초목; 무위도식	v	10
36	a. 바깥의, 해외의, 이국적인	e	6
37	n. 열망, 포부, 대망, 동경	a	10
38	v. 익사하다, 익사시키다	d	5
39	n. 만, 격차	g	4
40	a. 얇은, 순수한	s	5

Day 2.

41	enclosure	[ɪnˈkloʊ.ʒər]	n. (울타리로 쳐 놓은) 구역
42	extinct	[ɪkˈstɪŋkt]	a. 전멸한, 멸종한
43	infer	[ɪnˈfɜːr]	v. 추론하다; 암시하다
44	linear	[ˈlɪn.i.ər]	a. 선형의, 선적인
45	lunar	[ˈluː.nər]	a. 달의, 음력의
46	metabolic	[met.əˈbɒl.ɪk]	a. 신진대사의, 물질대사의
47	orbit	[ˈɔː.bɪt]	n. 궤도, 영향권; 범위; 궤도를 돌다
48	precise	[prɪˈsaɪs]	a. 정확한
49	reservoir	[ˈrez.ə.vwɑːr]	n. 저장소, 저수지
50	thermal	[ˈθɜː.məl]	a. 열의, 보온성이 좋은
51	underpin	[ˌʌn.dəˈpɪn]	v. (주장 등을) 뒷받침하다; 토대를 제공하다
52	velocity	[vəˈlɒs.ə.ti]	n. 속도, 빠른 속도
53	cluster	[ˈklʌs.tər]	n. 무리; 송이; 성단; v. 밀집시키다
54	compost	[ˈkɒm.pɒst]	n. 퇴비, 두엄 v. 퇴비를 만들다
55	dehydrate	[ˌdiː.haɪˈdreɪt]	v. 수분을 제거하다, 건조시키다
56	flock	[flɒk]	n. 떼, 무리; 떼 지어가다
57	fur	[fɜːr]	n. 모피, 털
58	impure	[ɪmˈpjʊər]	a. 더러운, 불결한, 불순한
59	magnetism	[ˈmæg.nə.tɪ.zəm]	n. 자성, 자력; 매력
60	mutation	[mjuːˈteɪ.ʃən]	n. 돌연변이, 변화, 변천
61	reed	[riːd]	n. 갈대, 갈대밭
62	specimen	[ˈspes.ə.mɪn]	n. 견본, 표본
63	substance	[ˈsʌb.stəns]	n. 본질, 실체; 물질
64	wither	[ˈwɪð.ər]	v. 시들다, 말라 죽다
65	capacity	[kəˈpæs.ə.ti]	n. 용량, 능력, 수용력
66	cavity	[ˈkæv.ə.ti]	n. 구멍; 충치
67	extract	[ɪkˈstrækt]	n. 발췌, 추출물
68	icing	[ˈaɪ.sɪŋ]	a. 당의(설탕을 입힌 과자)
69	proportion	[prəˈpɔː.ʃən]	n. 비율; 조화, 균형
70	radius	[ˈreɪ.di.əs]	n. 반지름, 반경
71	work out		p. 운동하다; 알아내다, 해결하다; 계산하다
72	what is more		p. 게다가, 더욱이
73	occur to N		p. ~에게 생각이 떠오르다
74	get past		p. ~을 넘어서다, ~을 지나가다
75	take after		p. ~을 닮다
76	under consideration		p. 고려 중인
77	be attached to		p. ~에 붙어 있다
78	break in		p. 침입하다
79	capitalize on		p. ~을 이용[활용]하다
80	come across		p. ~을 우연히 발견하다

번호	영어	한글	글자수
1	flock		
2	thermal		
3	compost		
4	linear		
5	enclosure		
6	precise		
7	specimen		
8	cluster		
9	capacity		
10	extract		
11	cavity		
12	occur to N		
13	icing		
14	metabolic		
15	impure		
16	what is more		
17	break in		
18	work out		
19	proportion		
20	be attached to		

Day 2 TEST

번호	한글	영어	글자수
21	p. ~을 우연히 발견하다	c	10 (p.)
22	n. 본질, 실체; 물질	s	9
23	n. 반지름, 반경	r	6
24	n. 속도, 빠른 속도	v	8
25	p. ~을 이용[활용]하다	c	12 (p.)
26	n. 자성, 자력; 매력	m	9
27	a. 전멸한, 멸종한	e	7
28	n. 모피, 털	f	3
29	n. 갈대, 갈대밭	r	4
30	v. 추론하다; 암시하다	i	5
31	v. 시들다, 말라 죽다	w	6
32	p. ~을 넘어서다, ~을 지나가다	g	7 (p.)
33	v. 수분을 제거하다, 건조시키다	d	9
34	v. (주장 등을) 뒷받침하다; 토대를 제공하다	u	8
35	a. 달의, 음력의	l	5
36	n. 저장소, 저수지	r	9
37	p. 고려 중인	u	18 (p.)
38	n. 궤도, 영향권; 범위; 궤도를 돌다	o	5
39	n. 돌연변이, 변화, 변천	m	8
40	p. ~을 닮다	t	9 (p.)

종합 TEST

번호	영어	한글	글자수
1	ruin		
2	infer		
3	humid		
4	capacity		
5	consist in		
6	desolate		
7	revenue		
8	drown		
9	vine		
10	swell		
11	capitalize on		
12	get past		
13	reed		
14	under consideration		
15	crater		
16	compost		
17	clone		
18	work out		
19	hand down		
20	surplus		

종합 TEST

번호	한글	영어	글자수
21	n. 선거구 지역, 구역	d	8
22	a. 열의, 보온성이 좋은	t	7
23	n. 자치주, 군(미국 대부분 주의 최소 행정 구역)	c	6
24	n. 구멍; 충치	c	6
25	a. 뒤쪽; 뒤쪽의; 기르다, 양육하다	r	4
26	n. 비율; 조화, 균형	p	10
27	n. 생장, 초목; 무위도식	v	10
28	n. 보행자; 평범한, 진부한	p	10
29	p. 차례로	b	7 (p.)
30	p. ~에 붙어 있다	b	12 (p.)
31	n. 발췌, 추출물	e	7
32	n. 궤도, 영향권; 범위; 궤도를 돌다	o	5
33	n. 저장소, 저수지	r	9
34	n. 견본, 표본	s	8
35	n. 반지름, 반경	r	6
36	n. 돌연변이, 변화, 변천	m	8
37	p. ~에 적응하다	a	8 (p.)
38	n. 자성, 자력; 매력	m	9
39	n. 열망, 포부, 대망, 동경	a	10
40	n. 고문, 심한 고통 v. 고문하다	t	7

Day 3.

81	rag	[ræg]	n. 넝마 조각, 누더기 옷
82	rub	[rʌb]	v. 문지르다
83	courteous	[ˈkɜː.ti.əs]	a. 공손한, 정중한
84	compound	[ˈkɒm.paʊnd]	n. 합성물, 합성어 v. 혼합하다, 합성하다
85	rejoice	[rɪˈdʒɔɪs]	v. 크게 기뻐하다
86	alternative	[ɒlˈtɜː.nə.tɪv]	a. 양자택일의 n. 양자택일, (보통 복수형)
87	inhibit	[ɪnˈhɪb.ɪt]	v. 저해하다, 못하게 하다, 억제하다
88	adore	[əˈdɔːr]	v. 존경하다
89	pendulum	[ˈpen.dʒəl.əm]	n. (시계의) 추, 진자
90	assassinate	[əˈsæs.ɪ.neɪt]	v. 암살하다
91	outright	[aʊˈtraɪt]	a. 분명한, 솔직한; 철저한; 모두, 완전히
92	obvious	[ˈɒb.vi.əs]	a. 명백한, 분명한
93	outcast	[ˈaʊt.kɑːst]	a. 버림받은, 쫓겨난, 버림받은 사람
94	segregation	[ˌseg.rɪˈgeɪ.ʃən]	n. 분리; 인종 차별
95	stubborn	[ˈstʌb.ən]	a. 완고한; 다루기 힘든; 지우기 힘든
96	deliberate	[dɪˈlɪb.ər.ət]	a. 고의적인, 계획적인; 신중한, 심사숙고하는
97	retail	[ˈriː.teɪl]	n. 소매, 소매상 a. 소매의, 소매상의
98	grasp	[grɑːsp]	v. 잡다; 파악하다, 이해하다
99	complement	[kámpləmənt]	n. 보충, 보충물; 보어
100	scent	[sent]	n. 향기, 냄새
101	murmur	[ˈmɜː.mər]	v. 속삭이다, 중얼거리다, 소곤거리다
102	convince	[kənˈvɪns]	v. 확신시키다, 납득시키다, 수긍하게 하다
103	deduction	[dɪˈdʌk.ʃən]	n. 추론, 연역; 공제, 공제액
104	dose	[dəʊs]	n. (약의 1회분) 복용량, 투여량
105	preside	[prɪˈzaɪd]	v. 주관하다, 주재하다
106	arise	[əˈraɪz]	vi. (문제 상황이) 일어나다, 발생하다
107	misery	[mízəri]	n. 불행, 고통, 비참(함)
108	convert	[kənˈvɜːt]	v. 변환하다, 전환하다, 개종시키다
109	exaggerate	[ɪgˈzædʒ.ə.reɪt]	v. 과장하다
110	gratitude	[ˈgræt.ɪ.tʃuːd]	n. 감사
111	be capable of		p. ~을 할 수 있는
112	cut down on		p. ~를 줄이다
113	come about		p. 일어나다, 생기다
114	integrate A with B		p. A와 B를 통합시키다
115	on the contrary		p. 오히려(도리어)
116	depending on		p. ~에 따라서
117	merge into		p. ~로 합병하다, ~에 융합하다
118	except for		p. ~을 제외하고
119	be exposed to		p. ~을 접하다, ~에 노출되다
120	on the surface		p. 외견상으로는

Day 3 TEST

번호	영어	한글	글자수
1	convince		
2	exaggerate		
3	be exposed to		
4	be capable of		
5	retail		
6	pendulum		
7	except for		
8	merge into		
9	integrate A with B		
10	rub		
11	complement		
12	adore		
13	rejoice		
14	courteous		
15	assassinate		
16	cut down on		
17	stubborn		
18	come about		
19	deduction		
20	murmur		

번호	한글	영어	글자수
21	n. 합성물, 합성어 v. 혼합하다, 합성하다	c	8
22	n. 불행, 고통, 비참(함)	m	6
23	p. 외견상으로는	o	12 (p.)
24	v. 잡다; 파악하다, 이해하다	g	5
25	a. 고의적인, 계획적인; 신중한, 심사숙고하는	d	10
26	p. ~에 따라서	d	11 (p.)
27	a. 양자택일의 n. 양자택일, (보통 복수형)	a	11
28	v. 변환하다, 전환하다, 개종시키다	c	7
29	v. 저해하다, 못하게 하다, 억제하다	i	7
30	n. 넝마 조각, 누더기 옷	r	3
31	n. (약의 1회분) 복용량, 투여량	d	4
32	n. 향기, 냄새	s	5
33	p. 오히려(도리어)	o	13 (p.)
34	vi. (문제 상황이) 일어나다, 발생하다	a	5
35	n. 분리; 인종 차별	s	11
36	a. 명백한, 분명한	o	7
37	a. 버림받은, 쫓겨난, 버림받은 사람	o	7
38	v. 주관하다, 주재하다	p	7
39	n. 감사	g	9
40	a. 분명한, 솔직한; 철저한; 모두, 완전히	o	8

번호	영어	한글	글자수
1	summit		
2	come about		
3	district		
4	consist in		
5	grasp		
6	velocity		
7	wither		
8	preside		
9	take after		
10	come across		
11	rub		
12	swell		
13	cluster		
14	embassy		
15	exotic		
16	recover from		
17	rear		
18	approximate		
19	be attached to		
20	surplus		

번호	영어	한글	글자수

번호	한글	영어	글자수
21	n. 합성물, 합성어 v. 혼합하다, 합성하다	c	8
22	n. 본질, 실체; 물질	s	9
23	v. 과장하다	e	10
24	p. ~을 할 수 있는	b	11 (p.)
25	p. 낮은 가격으로	a	11 (p.)
26	n. 견본, 표본	s	8
27	n. 고문, 심한 고통 v. 고문하다	t	7
28	p. 오히려(도리어)	o	13 (p.)
29	n. 분화구	c	6
30	a. 정확한	p	7
31	a. 분명한, 솔직한; 철저한; 모두, 완전히	o	8
32	a. 고의적인, 계획적인; 신중한, 심사숙고하는	d	10
33	v. 속삭이다, 중얼거리다, 소곤거리다	m	6
34	n. 불행, 고통, 비참(함)	m	6
35	p. 게다가, 더욱이	w	10 (p.)
36	n. 떼, 무리; 떼 지어가다	f	5
37	p. ~을 제외하고	e	9 (p.)
38	p. ~을 접하다, ~에 노출되다	b	11 (p.)
39	n. 추론, 연역; 공제, 공제액	d	9
40	a. 열의, 보온성이 좋은	t	7

Day 4.

121	liable	[ˈlaɪ.ə.bəl]	a. 책임을 져야 할, ~ 경향이 있는, ~하기 쉬운
122	accomplish	[əˈkʌm.plɪʃ]	v. 달성하다, 이루어 내다
123	bald	[bɔːld]	a. 대머리의, 머리가 벗겨진
124	constrict	[kənˈstrɪkt]	v. 압축하다, 죄다
125	limp	[lɪmp]	a. 기운이 없는, 다리를 절다, 절뚝거림
126	cognitive	[ˈkɒg.nə.tɪv]	a. 인식의, 인지의
127	quotation	[kwəʊˈteɪ.ʃən]	n. 인용구, 인용; 견적
128	potential	[pəˈten.ʃəl]	n. 잠재력 a. 잠재력이 있는, 가능성이 있는
129	reverse	[rɪˈvɜːs]	v. 거꾸로 하다
130	duplicate	[ˈdʒuː.plɪ.keɪt]	v. 복제하다, 되풀이하다 a. 복제의 n. 복제
131	detective	[dɪˈtek.tɪv]	n. 탐정 a. 탐정의
132	insomnia	[ɪnˈsɒm.ni.ə]	n. 불면증
133	outweigh	[ˌaʊtˈweɪ]	v. ~보다 뛰어나다
134	impolite	[ìmpəláit]	a. 무례한, 버릇없는
135	punctuate	[ˈpʌŋk.tʃuː.eɪt]	v. 구두점을 찍다, (말을) 중단시키다
136	accurate	[ˈæk.jə.rət]	a. 정확한, 정밀한
137	coordinate	[kəʊˈɔː.dɪ.neɪt]	v. 조직화하다, 조정하다
138	abundant	[əˈbʌn.dənt]	a. 풍부한
139	console	[kənsóul]	v. 달래다, 위로하다
140	consonant	[ˈkɒn.sə.nənt]	n. 자음
141	comply	[kəmˈplaɪ]	v. (명령, 요구 등에) 따르다, 준수하다
142	ripe	[raɪp]	a. 익은, 숙성한
143	elementary	[ˌel.ɪˈmen.tər.i]	a. 초보의, 초급의, 기본적인
144	observe	[əbzə́ːrv]	v. 지키다, 준수하다; 관찰하다
145	conceive	[kənˈsiːv]	v. 마음에 품다, 고안하다, 상상하다; 이해하다
146	shiver	[ˈʃɪv.ər]	n. 떨림, 전율; v. (몸을) 떨다
147	smear	[smɪər]	n. 얼룩; v. 마구 바르다, 더럽히다
148	monarchy	[ˈmɒn.ə.ki]	n. 군주제, 군주국, 군주 일가, 왕가
149	diffuse	[dɪˈfjuːz]	v. 확산시키다, 분산되다
150	eligible	[ˈel.ɪ.dʒə.bəl]	a. 적격의, 자격이 있는
151	come out		p. 나오다, 등장하다
152	with A in mind		p. A를 염두에 두고
153	prefer A to B		p. B보다 A를 더 선호하다
154	in the absence of		p. ~이 없을 때에, ~이 없어서
155	be absorbed in		p. ~에 열중하다, 몰두하다
156	with access to		p. 직접 만날 수 있는
157	account for		p. 설명하다; (부분·비율을) 차지하다
158	one after another		p. 차례로, 잇따라서, 하나하나
159	act against one's will		p. ~의 의지에 반하여 행동하다
160	adjust to N		p. ~에 적응하다, ~에 조정하다

번호	영어	한글	글자수
1	outweigh		
2	accomplish		
3	adore		
4	rag		
5	potential		
6	gratitude		
7	come out		
8	detective		
9	alternative		
10	punctuate		
11	with A in mind		
12	obvious		
13	convert		
14	quotation		
15	shiver		
16	rejoice		
17	inhibit		
18	on the surface		
19	exaggerate		
20	act against one's will		

번호	한글	영어	글자수
21	v. 조직화하다, 조정하다	c	10
22	n. 추론, 연역; 공제, 공제액	d	9
23	v. 복제하다, 되풀이하다 a. 복제의 n. 복제	d	9
24	p. 직접 만날 수 있는	w	12 (p.)
25	n. 향기, 냄새	s	5
26	p. ~로 합병하다, ~에 융합하다	m	9 (p.)
27	v. 확산시키다, 분산되다	d	7
28	p. ~에 따라서	d	11 (p.)
29	a. 분명한, 솔직한; 철저한; 모두, 완전히	o	8
30	v. (명령, 요구 등에) 따르다, 준수하다	c	6
31	vi. (문제 상황이) 일어나다, 발생하다	a	5
32	p. 오히려(도리어)	o	13 (p.)
33	a. 초보의, 초급의, 기본적인	e	10
34	p. 설명하다; (부분·비율을) 차지하다	a	10 (p.)
35	a. 적격의, 자격이 있는	e	8
36	a. 공손한, 정중한	c	9
37	p. B보다 A를 더 선호하다	p	10 (p.)
38	n. 합성물, 합성어 v. 혼합하다, 합성하다	c	8
39	p. ~을 접하다, ~에 노출되다	b	11 (p.)
40	p. ~이 없을 때에, ~이 없어서	i	14 (p.)

번호	영어	한글	글자수
1	take after		
2	lunar		
3	A rather than B		
4	adore		
5	gulf		
6	courteous		
7	get past		
8	by turns		
9	crater		
10	cut down on		
11	murmur		
12	reverse		
13	inhibit		
14	consist in		
15	fur		
16	ripe		
17	metabolic		
18	be attached to		
19	cognitive		
20	preside		

번호	한글	영어	글자수
21	v. 마음에 품다, 고안하다, 상상하다; 이해하다	c	8
22	a. 분명한, 솔직한; 철저한; 모두, 완전히	o	8
23	p. ~을 접하다, ~에 노출되다	b	11 (p.)
24	vi. (문제 상황이) 일어나다, 발생하다	a	5
25	p. ~을 우연히 발견하다	c	10 (p.)
26	n. 떼, 무리; 떼 지어가다	f	5
27	p. 운동하다; 알아내다, 해결하다; 계산하다	w	7 (p.)
28	v. 압축하다, 죄다	c	9
29	n. 견본, 표본	s	8
30	a. 전멸한, 멸종한	e	7
31	a. 열의, 보온성이 좋은	t	7
32	n. 불행, 고통, 비참(함)	m	6
33	a. 선형의, 선적인	l	6
34	n. 고문, 심한 고통 v. 고문하다	t	7
35	a. 대머리의, 머리가 벗겨진	b	4
36	a. 버림받은, 쫓겨난, 버림받은 사람	o	7
37	v. (주장 등을) 뒷받침하다; 토대를 제공하다	u	8
38	n. 불면증	i	8
39	n. (약의 1회분) 복용량, 투여량	d	4
40	p. ~을 이용[활용]하다	c	12 (p.)

Day 5.

161	exquisite	[ɪkˈskwɪz.ɪt]	a. 정교한, 매우 아름다운
162	synthetic	[sɪnˈθet.ɪk]	a. 합성한, 인조의, 종합적인
163	faint	[feɪnt]	a. 희미한, 어렴풋한; 힘 없는, 겁 많은; n. 기절
164	nourish	[ˈnʌr.ɪʃ]	v. 영양분을 주다, 육성하다
165	keen	[kiːn]	a. 예민한, 신중한, 매우 관심이 많은; 깊은, 강한
166	infection	[ɪnˈfek.ʃən]	n. 감염, 전염병
167	mourn	[mɔːn]	v. 애도하다, 슬퍼하다
168	invert	[ɪnˈvɜːt]	v. 뒤집다, 거꾸로 하다
169	deluxe	[dɪˈlʌks]	a. 고급의, 사양이 높은
170	standpoint	[ˈstænd.pɔɪnt]	n. 입장, 견지, 관점
171	yield	[jiːld]	v. (결과·이익 등을) 내다, 생산하다; 항복하다
172	congress	[ˈkɒŋ.gres]	n. 국회 v. 모이다
173	privilege	[ˈprɪv.əl.ɪdʒ]	n. 특권, 특전
174	terrific	[təˈrɪf.ɪk]	a. 대단한, 지독한; 훌륭한
175	deficit	[ˈdef.ɪ.sɪt]	n. 적자, 부족액, 결손
176	commend	[kəˈmend]	v. 칭찬하다; 맡기다, 위탁하다
177	predator	[ˈpred.ə.tər]	n. 포식자, 약탈자, 육식동물
178	bygone	[ˈbaɪ.gɒn]	a. 지나간, 과거의
179	sow	[səʊ]	v. (씨를) 뿌리다
180	thread	[θred]	v. 실을 꿰다 n. 실
181	compact	[kəmˈpækt]	a. 빽빽한; 간결한 n. 협정, 계약
182	permit	[pəˈmɪt]	v. 허락하다, 인가하다
183	assert	[əsɜ́ːrt]	v. (말을) 끼워 넣어 억지 주장하다
184	phenomenon	[fəˈnɒm.ɪ.nən]	n. 현상, 사건
185	statistics	[stəˈtɪs.tɪks]	n. 통계; 통계학, 통계 자료
186	outlandish	[ˌaʊtˈlæn.dɪʃ]	a. 이국풍의, 색다른, 이상한, 기이한
187	carpenter	[ˈkɑː.pɪn.tər]	n. 목수
188	unearth	[ʌnˈɜːθ]	v. 파내다, 발굴하다; 밝혀 내다
189	resemble	[rɪˈzem.bəl]	v. 닮다, 비슷하다
190	emerge	[ɪˈmɜːdʒ]	v. 나오다, 나타나다; 벗어나다
191	be accustomed to N		p. ~에 익숙해지다
192	strive for		p. ~을 얻으려고 노력하다
193	be to blame for		p. ~ 비난을 받아야 한다, ~의 책임이 있다
194	from above		p. 위에서, 위로부터
195	come of age		p. 발달한 상태가 되다, 성년이 되다
196	be aimed at		p. ~을 목표로 하다
197	all the more		p. 그만큼 더
198	allow for		p. ~을 허용하다, ~을 가능하게 하다
199	connect with		p. ~과 친해지다, ~을 이해하다, ~와 교류하다
200	answer for		p. ~을 책임지다

번호	영어	한글	글자수
1	keen		
2	terrific		
3	answer for		
4	compact		
5	invert		
6	statistics		
7	predator		
8	infection		
9	permit		
10	privilege		
11	be to blame for		
12	thread		
13	commend		
14	congress		
15	exquisite		
16	emerge		
17	be accustomed to N		
18	strive for		
19	bygone		
20	resemble		

번호	한글	영어	글자수
21	p. 발달한 상태가 되다, 성년이 되다	c	9 (p.)
22	p. 그만큼 더	a	10 (p.)
23	v. 애도하다, 슬퍼하다	m	5
24	p. ~을 목표로 하다	b	9 (p.)
25	v. 영양분을 주다, 육성하다	n	7
26	a. 희미한, 어렴풋한; 힘 없는, 겁 많은; n. 기절	f	5
27	n. 목수	c	9
28	a. 이국풍의, 색다른, 이상한, 기이한	o	10
29	v. (씨를) 뿌리다	s	3
30	v. (결과·이익 등을) 내다, 생산하다; 항복하다	y	5
31	n. 현상, 사건	p	10
32	v. 파내다, 발굴하다; 밝혀 내다	u	7
33	v. (말을) 끼워 넣어 억지 주장하다	a	6
34	p. ~을 허용하다, ~을 가능하게 하다	a	8 (p.)
35	p. ~과 친해지다, ~을 이해하다, ~와 교류하다	c	11 (p.)
36	n. 적자, 부족액, 결손	d	7
37	p. 위에서, 위로부터	f	9 (p.)
38	n. 입장, 견지, 관점	s	10
39	a. 고급의, 사양이 높은	d	6
40	a. 합성한, 인조의, 종합적인	s	9

종합 TEST

번호	영어	한글	글자수
1	preside		
2	outcast		
3	commend		
4	underpin		
5	phenomenon		
6	compost		
7	bald		
8	depending on		
9	be accustomed to N		
10	infection		
11	dose		
12	approximate		
13	assassinate		
14	be exposed to		
15	magnificent		
16	vegetation		
17	obvious		
18	comet		
19	answer for		
20	congress		

번호	한글	영어	글자수
21	p. ~에 적응하다, ~에 조정하다	a	9 (p.)
22	p. A를 염두에 두고	w	11 (p.)
23	v. 달성하다, 이루어 내다	a	10
24	n. 열망, 포부, 대망, 동경	a	10
25	n. 잠재력 a. 잠재력이 있는, 가능성이 있는	p	9
26	a. 빽빽한; 간결한 n. 협정, 계약	c	7
27	v. 애도하다, 슬퍼하다	m	5
28	n. 대사관	e	7
29	v. 익사하다, 익사시키다	d	5
30	a. 양자택일의 n. 양자택일, (보통 복수형)	a	11
31	v. 문지르다	r	3
32	v. 추론하다; 암시하다	i	5
33	v. 마음에 품다, 고안하다, 상상하다; 이해하다	c	8
34	n. 보충, 보충물; 보어	c	10
35	a. 더러운, 불결한, 불순한	i	6
36	n. (지구를) 동일하게 나누는 것, 적도	e	7
37	n. 입장, 견지, 관점	s	10
38	n. 돌연변이, 변화, 변천	m	8
39	n. (작은 보트의) 노, 주걱	p	6
40	a. 뒤쪽; 뒤쪽의; 기르다, 양육하다	r	4

Day 6.

201	compassion	[kəmˈpæʃ.ən]	n. 연민, 동정
202	decade	[ˈdek.eɪd]	n. 10년
203	persevere	[pə̀ːrsəvíər]	v. 고집하다, 노력하다, 견디다
204	stitch	[stɪtʃ]	v. 바느질하다; 바늘땀, 코, 바느질
205	cradle	[ˈkreɪ.dəl]	n. 요람, 아기 침대; 발상지
206	symmetry	[ˈsɪm.ə.tri]	n. 대칭, 균형
207	spontaneous	[spɒnˈteɪ.ni.əs]	a. 자발적인, 자연스러운
208	inquire	[ɪnˈkwaɪər]	v. 묻다, 조사하다
209	impair	[ɪmˈpeər]	v. 손상시키다
210	deflect	[dɪˈflekt]	v. 빗나가다, 빗나가게 하다
211	coverage	[ˈkʌv.ər.ɪdʒ]	n. 보도, 방송, 보급
212	mandatory	[ˈmæn.də.tər.i]	a. 규칙으로 명령하는, 의무적인, 필수의
213	prolong	[prəˈlɒŋ]	v. 연장하다
214	exile	[ˈek.saɪl]	n. 추방, 유배
215	pioneer	[ˌpaɪəˈnɪər]	n. 선구자, 선도자
216	sufficient	[səˈfɪʃ.ənt]	a. 충분한
217	flourish	[ˈflʌr.ɪʃ]	v. 번창하다, 잘 자라다
218	hypothesis	[haɪˈpɒθ.ə.sɪs]	n. 가설
219	epidemic	[ˌep.ɪˈdem.ɪk]	a. 널리 퍼져 있는 n. 유행(병)
220	fatigue	[fəˈtiːg]	n. 피로(* 밭일로 피곤한)
221	innate	[ɪˈneɪt]	a. 타고난, 선천적인
222	exhaust	[ɪgˈzɔːst]	v. 다 써버리다, 기진맥진하게 만들다 n. 배출
223	attain	[əˈteɪn]	v. 얻다; 달성하다, 도달하다
224	manipulate	[məˈnɪp.jə.leɪt]	v. 조종하다, 조작하다; 잘 다루다
225	fling	[flɪŋ]	v. 내던지다, 퍼붓다
226	stun	[stʌn]	v. 기절시키다, 망연자실하게 만들다
227	ethics	[ˈeθ.ɪks]	n. 윤리학
228	vanish	[ˈvæn.ɪʃ]	v. 사라지다, 소멸하다
229	straightforward	[ˌstreɪtˈfɔː.wəd]	a. 간단한, 솔직한
230	speculate	[ˈspek.jə.leɪt]	v. 추측하다
231	be frightened of		p. ~을 무서워하다
232	be conscious of		p. ~을 의식하다, ~을 알고 있다
233	confuse A with B		p. A를 B와 혼동하다
234	in the long run		p. 결국, 결국에는; 긴 악목으로
235	near at hand		p. 가까이에
236	in harmony with		p. ~와 조화를 이루다, 일치하다
237	hand over		p. 인도하다, 넘기다
238	get into shape		p. 몸매를 가꾸다
239	blame A on B		p. A를 B의 책임[때문]으로 보다
240	at the least		p. 적어도

번호	영어	한글	글자수
1	manipulate		
2	in the long run		
3	deflect		
4	inquire		
5	sufficient		
6	hypothesis		
7	persevere		
8	fling		
9	ethics		
10	symmetry		
11	flourish		
12	prolong		
13	impair		
14	near at hand		
15	speculate		
16	compassion		
17	innate		
18	hand over		
19	coverage		
20	exhaust		

번호	한글	영어	글자수
21	v. 얻다; 달성하다, 도달하다	a	6
22	p. 적어도	a	10 (p.)
23	p. A를 B의 책임[때문]으로 보다	b	9 (p.)
24	n. 피로(* 밭일로 피곤한)	f	7
25	p. ~을 의식하다, ~을 알고 있다	b	13 (p.)
26	n. 10년	d	6
27	v. 바느질하다; 바늘땀, 코, 바느질	s	6
28	a. 간단한, 솔직한	s	15
29	a. 널리 퍼져 있는 n. 유행(병)	e	8
30	v. 사라지다, 소멸하다	v	6
31	p. ~을 무서워하다	b	14 (p.)
32	a. 자발적인, 자연스러운	s	11
33	n. 추방, 유배	e	5
34	p. ~와 조화를 이루다, 일치하다	i	13 (p.)
35	p. 몸매를 가꾸다	g	12 (p.)
36	p. A를 B와 혼동하다	c	13 (p.)
37	v. 기절시키다, 망연자실하게 만들다	s	4
38	n. 선구자, 선도자	p	7
39	a. 규칙으로 명령하는, 의무적인, 필수의	m	9
40	n. 요람, 아기 침대; 발상지	c	6

번호	영어	한글	글자수
1	exquisite		
2	phenomenon		
3	with access to		
4	cognitive		
5	take after		
6	rag		
7	sheer		
8	adapt to N		
9	permit		
10	by turns		
11	limp		
12	conceive		
13	outcast		
14	straightforward		
15	convince		
16	console		
17	approximate		
18	merge into		
19	at the least		
20	ruin		

번호	한글	영어	글자수
21	n. 자음	c	9
22	p. 운동하다; 알아내다, 해결하다; 계산하다	w	7 (p.)
23	v. 추론하다; 암시하다	i	5
24	p. 차례로, 잇따라서, 하나하나	o	15 (p.)
25	n. 외양간, 헛간	b	4
26	p. ~을 물려주다	h	8 (p.)
27	a. 선형의, 선적인	l	6
28	p. ~에 익숙해지다	b	15 (p.)
29	p. ~에 적응하다, ~에 조정하다	a	9 (p.)
30	v. 구두점을 찍다, (말을) 중단시키다	p	9
31	n. 포도나무, 덩굴 식물	v	4
32	p. ~ 비난을 받아야 한다, ~의 책임이 있다	b	12 (p.)
33	n. 윤리학	e	6
34	a. 황량한, 쓸쓸한	d	8
35	n. 향기, 냄새	s	5
36	v. 속삭이다, 중얼거리다, 소곤거리다	m	6
37	v. 복제하다, 되풀이하다 a. 복제의 n. 복제	d	9
38	v. 묻다, 조사하다	i	7
39	a. 공손한, 정중한	c	9
40	a. 자발적인, 자연스러운	s	11

Day 7.

241	committee	[kəˈmɪt.i]	v. 의뢰하다; 주문하다 n. 위원회; 후견인
242	expend	[ɪkˈspend]	v. (돈 , 시간, 노력 등을) 쏟다, 들이다
243	reflect	[rɪˈflekt]	v. 반사하다, 반영하다; 생각하다, 숙고하다
244	tribe	[traɪb]	n. 종족(로마제국의 3종족에서 유래)
245	moderate	[ˈmɒd.ər.ət]	v. 절제하다, 조절하다 a. 보통의, 중간의, 적당한
246	linger	[ˈlɪŋ.gər]	v. 오래 머무르다; 지속되다
247	demote	[dimóut]	v. 강등시키다
248	significant	[sɪgˈnɪf.ɪ.kənt]	a. 의미 심장한, 중요한, 상당한
249	ambiguous	[æmˈbɪg.ju.əs]	a. 모호한, 여러 가지로 해석할 수 있는
250	multitude	[ˈmʌl.tɪ.tʃuːd]	n. 다수, 수많음, 많은 사람
251	contaminate	[kənˈtæm.ɪ.neɪt]	v. 더럽히다, 오염시키다
252	subtract	[səbˈtrækt]	v. 빼다, 감하다
253	delegate	[ˈdel.ɪ.gət]	n. 대표자, 대리인 v. 권한을 위임하다
254	degenerate	[dɪˈdʒen.ə.reɪt]	v. 퇴화하다, 퇴보하다, 타락하다
255	outset	[ˈaʊt.set]	n. 착수, 시작
256	component	[kəmˈpəʊ.nənt]	n. 성분, 구성요소
257	banquet	[ˈbæŋ.kwɪt]	n. 연회, 만찬
258	withhold	[wɪðˈhəʊld]	v. 주지 않다, 받지 않다, 억제하다
259	wholesome	[ˈhəʊl.səm]	a. 전체의, 건강에 좋은, 건전한
260	untapped	[əntæˈpt]	a. 이용되지 않은, 미개발의
261	stationary	[ˈsteɪ.ʃən.ər.i]	a. 움직이지 않는, 고정된
262	harsh	[hɑːʃ]	a. 혹독한, 가혹한
263	intimate	[ˈɪn.tɪ.mət]	a. 가장 깊은, 친밀한
264	dense	[dens]	a. 빽빽한, 밀집한, 짙은
265	perceive	[pəˈsiːv]	v. 인지하다, 인식하다, 지각하다, 알아차리다
266	dynamic	[daɪˈnæm.ɪk]	a. 힘의, 역동적인, 활발한
267	sake	[seɪk]	n. 이익, 목적, 위험
268	hardwire	[hɑːrdwàiər]	v. 고정화하다, 굳어버리게 하다
269	confine	[kənˈfaɪn]	v. 한정하다, 제한하다; 가두다, 감금하다
270	burglar	[bə́ːrglər]	n. 강도, 빈집털이, 밤도둑
271	immune to N		p. ~의 영향을 받지 않는
272	around the clock		p. 24시간 내내
273	far from		p. 전혀 ~이 아닌, ~와는 거리가 먼
274	catch up on		p. (소식·정보를) 알아내다
275	coincide with		p. ~와 부합하다, 일치하다
276	in favor with		p. ~에 호의적이다
277	break the news to		p. ~에게 (나쁜) 소식을 전하다
278	in passing		p. 지나가는 말로
279	back down		p. (주장 등을) 굽히다, 양보하다
280	act upon		p. ~에 따라 행동하다; 조치를 취하다

번호	영어	한글	글자수
1	component		
2	burglar		
3	ambiguous		
4	far from		
5	immune to N		
6	subtract		
7	multitude		
8	delegate		
9	significant		
10	intimate		
11	in passing		
12	act upon		
13	dynamic		
14	withhold		
15	break the news to		
16	outset		
17	wholesome		
18	untapped		
19	confine		
20	stationary		

번호	한글	영어	글자수
21	p. ~에 호의적이다	i	11 (p.)
22	n. 이익, 목적, 위험	s	4
23	p. ~와 부합하다, 일치하다	c	12 (p.)
24	v. 절제하다, 조절하다 a. 보통의, 중간의, 적당한	m	8
25	p. (주장 등을) 굽히다, 양보하다	b	8 (p.)
26	v. 강등시키다	d	6
27	a. 빽빽한, 밀집한, 짙은	d	5
28	p. (소식·정보를) 알아내다	c	9 (p.)
29	v. 의뢰하다; 주문하다 n. 위원회; 후견인	c	9
30	v. 반사하다, 반영하다; 생각하다, 숙고하다	r	7
31	v. 더럽히다, 오염시키다	c	11
32	n. 연회, 만찬	b	7
33	v. 오래 머무르다; 지속되다	l	6
34	v. (돈 , 시간, 노력 등을) 쏟다, 들이다	e	6
35	n. 종족(로마제국의 3종족에서 유래)	t	5
36	a. 혹독한, 가혹한	h	5
37	v. 고정화하다, 굳어버리게 하다	h	8
38	v. 인지하다, 인식하다, 지각하다, 알아차리다	p	8
39	p. 24시간 내내	a	14 (p.)
40	v. 퇴화하다, 퇴보하다, 타락하다	d	10

번호	영어	한글	글자수
1	thermal		
2	ruin		
3	on the surface		
4	epidemic		
5	elementary		
6	surplus		
7	alternative		
8	immune to N		
9	insomnia		
10	exquisite		
11	abundant		
12	inhibit		
13	cavity		
14	revenue		
15	demote		
16	punctuate		
17	gratitude		
18	spontaneous		
19	barn		
20	take after		

번호	한글	영어	글자수
21	p. ~을 물려주다	h	8 (p.)
22	n. 요람, 아기 침대; 발상지	c	6
23	p. ~을 접하다, ~에 노출되다	b	11 (p.)
24	n. 잠재력 a. 잠재력이 있는, 가능성이 있는	p	9
25	a. 의미 심장한, 중요한, 상당한	s	11
26	n. 자성, 자력; 매력	m	9
27	n. 혜성	c	5
28	v. 칭찬하다; 맡기다, 위탁하다	c	7
29	n. 국회 v. 모이다	c	8
30	v. 파내다, 발굴하다; 밝혀 내다	u	7
31	a. 가장 깊은, 친밀한	i	8
32	p. 차례로, 잇따라서, 하나하나	o	15 (p.)
33	n. 반지름, 반경	r	6
34	a. 바깥의, 해외의, 이국적인	e	6
35	n. 가설	h	10
36	n. (작은 보트의) 노, 주걱	p	6
37	n. 감염, 전염병	i	9
38	a. 전멸한, 멸종한	e	7
39	v. 절제하다, 조절하다 a. 보통의, 중간의, 적당한	m	8
40	p. ~에 적응하다, ~에 조정하다	a	9 (p.)

Day 8.

281	**hygiene**	[ˈhaɪ.dʒiːn]	n. 위생
282	**coffin**	[ˈkɒf.ɪn]	n. 관; 시체를 담는 상자
283	**retrospect**	[ˈret.rə.spekt]	v. 돌이켜보다, 추억하다; 추억, 회상
284	**impersonal**	[ɪmpə́ːrsənl]	a. 냉담한
285	**fierce**	[fɪəs]	a. 사나운, 맹렬한
286	**fraud**	[frɔːd]	n. 사기, 사기꾼
287	**indulge**	[ɪnˈdʌldʒ]	v. 탐닉하다, ~에 빠지다; 내버려 두다
288	**nod**	[nɒd]	v. 끄덕이다, (고개를) 까딱하다
289	**empathic**	[empǽθik, im-]	a. 공감할 수 있는, 감정 이입의
290	**primitive**	[ˈprɪm.ɪ.tɪv]	a. 원시의, 원시적인
291	**yearn**	[jɜːn]	v. 갈망하다, 그리워하다
292	**stride**	[straɪd]	v. 성큼성큼 걷다, 활보하다; 큰 걸음, 보폭
293	**frank**	[fræŋk]	a. 솔직한, 숨김없는, 명백한, 공정한
294	**carefree**	[ˈkeə.friː]	a. 근심 걱정 없는, 무관심한
295	**consecutive**	[kənˈsek.jə.tɪv]	a. 연속적인, 계속적인, 일관된
296	**commentary**	[ˈkɒm.ən.tər.i]	n. 논평, 해설
297	**entrust**	[ɪnˈtrʌst]	v. 믿음을 주다(믿고 맡기다)
298	**reveal**	[rɪˈviːl]	v. 드러내다, 나타내다, 보여주다
299	**catastrophe**	[kəˈtæs.trə.fi]	n. 재앙
300	**medieval**	[ˌmed.ˈiː.vəl]	a. 중세의 [ev 시대(age)]
301	**colony**	[ˈkɒl.ə.ni]	n. 식민지; 집단, 부락, 군집, 군체
302	**downplay**	[ˌdaʊnˈpleɪ]	v. 경시하다
303	**definite**	[ˈdef.ɪ.nət]	a. 확실한, 확고한, 분명한
304	**favoritism**	[ˈfeɪ.vər.ɪ.tɪ.zəm]	n. 치우친 사랑, 편애
305	**elaborate**	[iˈlæb.ər.ət]	a. 정성들인, 정교한 v. 상세히 설명하다
306	**linguistic**	[liŋgwístik]	a. 언어의, 언어학의
307	**utmost**	[ʌtmòust]	a. 최대의, 극도의
308	**infrastructure**	[ˈɪn.frəˌstrʌk.tʃər]	n. 하부조직(구조), 기초, 토대; 사회 기반 시설
309	**legacy**	[ˈleg.ə.si]	n. 유산, 유물, 물려받은 것
310	**vital**	[ˈvaɪ.təl]	a. 생명의, 치명적인
311	**appeal to N**		p. ~에 호소하다
312	**at a discount**		p. 할인하여
313	**cast A aside**		p. A를 버리다
314	**be terrified of**		p. ~을 두려워하다, ~을 경외하다
315	**deal with**		p. ~을 상대하다, 다루다
316	**qualified to do**		p. ~할 자격이 있는
317	**have an impact on**		p. 효과를 미치다
318	**be fond of**		p. ~을 좋아하다
319	**caught in**		p. ~에 사로잡힌
320	**damaging to N**		p. ~에 피해를 주는

번호	영어	한글	글자수
1	yearn		
2	indulge		
3	impersonal		
4	utmost		
5	retrospect		
6	empathic		
7	qualified to do		
8	colony		
9	at a discount		
10	medieval		
11	catastrophe		
12	fierce		
13	caught in		
14	be fond of		
15	fraud		
16	nod		
17	infrastructure		
18	damaging to N		
19	legacy		
20	commentary		

번호	한글	영어	글자수
21	a. 생명의, 치명적인	v	5
22	a. 정성들인, 정교한 v. 상세히 설명하다	e	9
23	p. ~에 호소하다	a	9 (p.)
24	n. 치우친 사랑, 편애	f	10
25	n. 관; 시체를 담는 상자	c	6
26	v. 믿음을 주다(믿고 맡기다)	e	7
27	a. 연속적인, 계속적인, 일관된	c	11
28	a. 솔직한, 숨김없는, 명백한, 공정한	f	5
29	v. 드러내다, 나타내다, 보여주다	r	6
30	a. 확실한, 확고한, 분명한	d	8
31	v. 성큼성큼 걷다, 활보하다; 큰 걸음, 보폭	s	6
32	a. 원시의, 원시적인	p	9
33	v. 경시하다	d	8
34	p. ~을 상대하다, 다루다	d	8 (p.)
35	a. 근심 걱정 없는, 무관심한	c	8
36	p. ~을 두려워하다, ~을 경외하다	b	13 (p.)
37	a. 언어의, 언어학의	l	10
38	n. 위생	h	7
39	p. A를 버리다	c	10 (p.)
40	p. 효과를 미치다	h	14 (p.)

종합 TEST

번호	영어	한글	글자수
1	get past		
2	reed		
3	faint		
4	be attached to		
5	deficit		
6	linguistic		
7	recover from		
8	merge into		
9	be aimed at		
10	consist in		
11	preside		
12	utmost		
13	mandatory		
14	commend		
15	coordinate		
16	fraud		
17	magnificent		
18	harsh		
19	infection		
20	pioneer		

종합 TEST

번호	한글	영어	글자수
21	a. 과잉, 과잉의	s	7
22	p. 가까이에	n	10 (p.)
23	a. 명백한, 분명한	o	7
24	v. (주장 등을) 뒷받침하다; 토대를 제공하다	u	8
25	n. 유산, 유물, 물려받은 것	l	6
26	p. ~ 비난을 받아야 한다, ~의 책임이 있다	b	12 (p.)
27	v. 돌이켜보다, 추억하다; 추억, 회상	r	10
28	p. 전혀 ~이 아닌, ~와는 거리가 먼	f	7 (p.)
29	p. ~와 조화를 이루다, 일치하다	i	13 (p.)
30	p. 지나가는 말로	i	9 (p.)
31	n. 10년	d	6
32	a. 습한, 습기가 있는	h	5
33	v. 강등시키다	d	6
34	n. 팽창 v. 부풀다, 부풀어 오르다	s	5
35	n. 넝마 조각, 누더기 옷	r	3
36	a. 정확한, 정밀한	a	8
37	n. 반지름, 반경	r	6
38	a. 완고한; 다루기 힘든; 지우기 힘든	s	8
39	p. ~을 허용하다, ~을 가능하게 하다	a	8 (p.)
40	n. 통계; 통계학, 통계 자료	s	10

Day 9.

321	prompt	[prɒmpt]	a. 즉석의, 신속한
322	ferry	[féri]	n. 나루터, 나룻배, 연락선 v. 수송하다
323	array	[əˈreɪ]	v. 정렬시키다; 잘 차려 입히다 n. 대형, 배치
324	drawback	[ˈdrɔː.bæk]	n. 결점, 문제점
325	scarcity	[ˈskeə.sə.ti]	n. 부족, 결핍
326	concise	[kənˈsaɪs]	a. 거두절미한, 간결한
327	janitor	[ˈdʒæn.ɪ.tər]	n. 문지기, 수위, 관리인
328	vertical	[ˈvɜː.tɪ.kəl]	a. 수직의, 세로의
329	divine	[dɪˈvaɪn]	a. 신성한, 신의
330	parallel	[ˈpær.ə.lel]	v. 평행하다, 유사하다
331	consent	[kənˈsent]	v. 동의하다, 승인하다 n. 동의, 허가
332	charity	[ˈtʃær.ə.ti]	n. 사랑, 박애, 관용; 자선(행위), 자선(단체)
333	reprove	[rɪˈpruːv]	v. ~을 야단치다, 비난하다
334	minister	[ˈmɪn.ɪ.stər]	n. 장관, 성직자, 목사
335	shred	[ʃred]	v. 갈기갈기 찢다, 째다
336	sarcastic	[sɑːˈkæs.tɪk]	a. 풍자적인, 빈정대는, 비꼬는
337	soothe	[suːð]	v. 달래다, 누그러뜨리다
338	ware	[weər]	n. 제품, 상품
339	distinguish	[dɪˈstɪŋ.gwɪʃ]	v. 구별하다, 구분하다
340	scorn	[skɔːn]	v. 조롱하다, 경멸하다; n. 조롱, 경멸
341	render	[ˈren.dər]	v. ~한 상태로 만들다; 주다, 제공하다; 표현하다
342	frustrate	[frʌstreit]	v. 좌절감을 주다; 방해하다
343	compass	[ˈkʌm.pəs]	n. 나침반, 컴퍼스; v. 둘러싸다, 에워싸다
344	indifferent	[ɪnˈdɪf.ər.ənt]	a. 무관심한, 사심이 없는
345	sway	[sweɪ]	n. 흔들림; v. 흔들리다
346	nurture	[ˈnɜː.tʃər]	v. 기르다, 양육하다
347	irrational	[ɪˈræʃ.ən.əl]	a. 비이성적인, 무분별한
348	ignoble	[ɪgˈnəʊ.bəl]	a. 비열한, 비천한
349	profit	[ˈprɒf.ɪt]	n. 이익, 수익 v. 이익을 얻다
350	marvel	[ˈmɑː.vəl]	n. 놀라운 일 v. 놀라다
351	in awe of		p. ~을 두려워[경외]하다
352	at the height of		p. ~가 한창일 때
353	live beyond one's income		p. 수입을 초과하여 살다
354	have no choice but to do		p. ~할 수 밖에 없다
355	have a discussion with		p. ~와 토론을 벌이다
356	hold on		p. 붙잡고 있다, 기다리다, 고정시키다
357	for a change		p. 여느 때와 달리, 기분 전환으로
358	by way of		p. ~ 의 방법으로, ~에 의해서, ~을 거쳐서
359	enter into		p. 시작하다, [계약 따위를] 맺다
360	in a timely fashion		p. 시기 적절하게

번호	영어	한글	글자수
1	render		
2	at the height of		
3	charity		
4	in awe of		
5	reprove		
6	janitor		
7	have no choice but to do		
8	live beyond one's income		
9	vertical		
10	consent		
11	for a change		
12	ignoble		
13	have a discussion with		
14	ferry		
15	marvel		
16	by way of		
17	hold on		
18	array		
19	concise		
20	minister		

번호	한글	영어	글자수
21	v. 갈기갈기 찢다, 째다	s	5
22	v. 조롱하다, 경멸하다; n. 조롱, 경멸	s	5
23	v. 기르다, 양육하다	n	7
24	a. 즉석의, 신속한	p	6
25	a. 비이성적인, 무분별한	i	10
26	a. 풍자적인, 빈정대는, 비꼬는	s	9
27	v. 달래다, 누그러뜨리다	s	6
28	v. 구별하다, 구분하다	d	11
29	p. 시작하다, [계약 따위를] 맺다	e	9 (p.)
30	n. 부족, 결핍	s	8
31	n. 제품, 상품	w	4
32	v. 좌절감을 주다; 방해하다	f	9
33	a. 무관심한, 사심이 없는	i	11
34	n. 나침반, 컴퍼스; v. 둘러싸다, 에워싸다	c	7
35	n. 흔들림; v. 흔들리다	s	4
36	n. 결점, 문제점	d	8
37	n. 이익, 수익 v. 이익을 얻다	p	6
38	v. 평행하다, 유사하다	p	8
39	p. 시기 적절하게	i	16 (p.)
40	a. 신성한, 신의	d	6

번호	영어	한글	글자수
1	at a discount		
2	console		
3	misery		
4	concise		
5	monarchy		
6	consent		
7	render		
8	yield		
9	have an impact on		
10	elaborate		
11	conceive		
12	linger		
13	deal with		
14	compassion		
15	commentary		
16	demote		
17	sarcastic		
18	coffin		
19	outset		
20	what is more	종합 TEST	

번호	한글	영어	글자수
21	n. 혜성	c	5
22	a. 널리 퍼져 있는 n. 유행(병)	e	8
23	v. 과장하다	e	10
24	n. 보도, 방송, 보급	c	8
25	v. 갈기갈기 찢다, 째다	s	5
26	n. 사기, 사기꾼	f	5
27	p. 지나가는 말로	i	9 (p.)
28	p. 설명하다; (부분·비율을) 차지하다	a	10 (p.)
29	p. ~을 목표로 하다	b	9 (p.)
30	p. ~에게 (나쁜) 소식을 전하다	b	14 (p.)
31	a. 적격의, 자격이 있는	e	8
32	a. 무례한, 버릇없는	i	8
33	a. 자발적인, 자연스러운	s	11
34	p. ~에 사로잡힌	c	8 (p.)
35	p. ~에 적응하다	a	8 (p.)
36	n. 10년	d	6
37	p. 일어나다, 생기다	c	9 (p.)
38	n. 견본, 표본	s	8
39	n. 속도, 빠른 속도	v	8
40	a. 전체의, 건강에 좋은, 건전한	w	9

Day 10.

361	contradict	[ˌkɒn.trəˈdɪkt]	v. 반박하다
362	unease	[ʌnˈiːz]	n. 불안, 우려, 불안감
363	inspire	[inspáiər]	v. 고무하다, 격려하다, 영감을 주다
364	recollect	[ˌrek.əˈlekt]	v. 생각해내다, 회상하다
365	shrug	[ʃrʌg]	v. (어깨를) 으쓱하다
366	boredom	[ˈbɔː.dəm]	n. 지루함
367	prohibit	[prəˈhɪb.ɪt]	v. 금지하다, 제지하다
368	halve	[hɑːv]	v. 반으로 줄다, 이등분하다
369	nerve	[nɜːv]	n. 신경, 긴장, 불안
370	causal	[ˈkɔː.zəl]	a. 원인이 되는
371	accord	[əˈkɔːd]	v. 일치하다, 조화되다 n. 합의
372	unanimous	[juːˈnæn.ɪ.məs]	n. 만장일치
373	provision	[prəˈvɪʒ.ən]	n. 규정, 조항, 공급, 대비
374	shatter	[ˈʃæt.ər]	v. 산산이 부수다; n. 파편
375	pessimist	[ˈpes.ɪ.mɪst]	n. 비관론자, 염세주의자
376	severe	[sɪˈvɪər]	a. 엄격한, 가차없는, 혹독한
377	ballot	[ˈbæl.ət]	n. 투표
378	hoop	[huːp]	n. 테, 쇠테, 링, 굴렁쇠
379	resolute	[ˈrez.ə.luːt]	a. 결심이 굳은, 단호한
380	affect	[əˈfekt]	v. 영향을 주다, 작용하다; ~인 체하다
381	doctrine	[ˈdɒk.trɪn]	n. 가르침, 원리, 주의, 학설
382	renown	[rináun]	n. 명성, 유명
383	sob	[sɒb]	v. 흐느껴 울다
384	erect	[ɪˈrekt]	a. 똑바로 선 v. 세우다, 직립시키다
385	compel	[kəmˈpel]	v. 강요하다, ~하게 하다
386	sew	[səʊ]	v. 바느질하다, 깁다; 만들다; 달다, 꿰매다
387	stain	[steɪn]	n. 얼룩; 얼룩지다, 더럽히다
388	superstition	[ˌsuː.pəˈstɪʃ.ən]	n. 미신, 미신적 행위
389	depress	[dɪˈpres]	v. 낙담시키다; 불경기로 만들다
390	adhere	[ədˈhɪər]	v. 부착하다, 고수하다, 지지하다
391	can afford to do		p. ~할 여유가 있다, ~할 수 있다
392	have a point		p. 일리가 있다; 장점이 있다
393	take hold		p. 자리를 잡다, 확립하다, 정착하다
394	at a charge of		p. ~의 비용 부담으로
395	fall away		p. 서서히 사라지다
396	chances are		p. 아마 ~일 것이다
397	ahead of		p. ~앞에, ~보다 앞서는
398	at all costs		p. 무슨 수를 써서라도, 기어코
399	have a problem with		p. ~에 문제가 있다; ~에 반대하다
400	in the same way		p. 이와 마찬가지로

번호	영어	한글	글자수
1	halve		
2	provision		
3	pessimist		
4	hoop		
5	unease		
6	compel		
7	superstition		
8	erect		
9	ahead of		
10	adhere		
11	at all costs		
12	contradict		
13	depress		
14	shatter		
15	recollect		
16	boredom		
17	stain		
18	prohibit		
19	inspire		
20	causal		

번호	한글	영어	글자수
21	p. ~의 비용 부담으로	a	11 (p.)
22	n. 투표	b	6
23	p. 이와 마찬가지로	i	12 (p.)
24	n. 만장일치	u	9
25	v. 영향을 주다, 작용하다; ~인 체하다	a	6
26	a. 결심이 굳은, 단호한	r	8
27	n. 명성, 유명	r	6
28	v. 바느질하다, 깁다; 만들다; 달다, 꿰매다	s	3
29	n. 가르침, 원리, 주의, 학설	d	8
30	a. 엄격한, 가차없는, 혹독한	s	6
31	p. 아마 ~일 것이다	c	10 (p.)
32	p. ~할 여유가 있다, ~할 수 있다	c	13 (p.)
33	v. 흐느껴 울다	s	3
34	n. 신경, 긴장, 불안	n	5
35	p .일리가 있다; 장점이 있다	h	10 (p.)
36	p. 서서히 사라지다	f	8 (p.)
37	p. 자리를 잡다, 확립하다, 정착하다	t	8 (p.)
38	p. ~에 문제가 있다; ~에 반대하다	h	16 (p.)
39	v. 일치하다, 조화되다 n. 합의	a	6
40	v. (어깨를) 으쓱하다	s	5

종합 TEST

번호	영어	한글	글자수
1	compel		
2	fur		
3	deliberate		
4	comet		
5	unease		
6	minister		
7	insomnia		
8	substance		
9	demote		
10	reveal		
11	marvel		
12	surplus		
13	accord		
14	in awe of		
15	break in		
16	deal with		
17	capacity		
18	stride		
19	attain		
20	belong to N		

번호	한글	영어	글자수
21	n. 착수, 시작	o	6
22	p. ~을 무서워하다	b	14 (p.)
23	v. 낙담시키다; 불경기로 만들다	d	7
24	n. 부족, 결핍	s	8
25	p. ~에 적응하다, ~에 조정하다	a	9 (p.)
26	a. 최대의, 극도의	u	6
27	n. 투표	b	6
28	n. 대칭, 균형	s	8
29	n. 퇴비, 두엄 v. 퇴비를 만들다	c	7
30	v. 빼다, 감하다	s	8
31	p. 위에서, 위로부터	f	9 (p.)
32	a. 완고한; 다루기 힘든; 지우기 힘든	s	8
33	a. 전체의, 건강에 좋은, 건전한	w	9
34	p. ~에 익숙해지다	b	15 (p.)
35	v. 탐닉하다, ~에 빠지다; 내버려 두다	i	7
36	v. 달래다, 누그러뜨리다	s	6
37	n. 분화구	c	6
38	n. 국회 v. 모이다	c	8
39	a. 연속적인, 계속적인, 일관된	c	11
40	n. 문지기, 수위, 관리인	j	7

Day 11.

401	beloved	[bɪˈlʌv.ɪd]	a. (대단히) 사랑하는
402	obedient	[əˈbiː.di.ənt]	a. 순종하는
403	sneeze	[sniːz]	v. 재채기를 하다
404	transmit	[trænzˈmɪt]	v. 보내다, 전송하다; 전도하다; 전염시키다
405	optimal	[ˈɒp.tɪ.məl]	a. 최선의, 최적의
406	mindlessly	[ˈmaɪnd.ləs.li]	adv. 무심코, 분별없이, 어리석게
407	accuse	[əˈkjuːz]	v. 고발하다, 기소하다, 비난하다
408	parachute	[ˈpær.ə.ʃuːt]	n. 낙하산
409	derive	[dɪˈraɪv]	v. 비롯되다, 유래하다; 끌어내다, 유도하다
410	neutral	[ˈnjuː.trəl]	a. 중립의, 중간의; 감정이 드러나지 않는
411	intense	[ɪnˈtens]	a. 강렬한, 치열한, 심한
412	demand	[dɪˈmɑːnd]	v. 요구하다, 청구하다; 수요
413	statement	[ˈsteɪt.mənt]	n. 성명, 성명서; 명세서; 진술, 연설
414	solvent	[ˈsɒl.vənt]	a. 지급 능력이 있는; 용해력이 있는; 용매, 용제
415	neural	[njúərəl]	a. 신경의
416	cite	[saɪt]	v. 인용하다; 언급하다; 소환하다
417	esteem	[ɪˈstiːm]	n. 존경, 경의; 존경하다, 존중하다
418	perspective	[pəˈspek.tɪv]	n. 원근법; 경치; 관점, 시야
419	deter	[ditə́ːr]	v. 그만두게 하다, 단념시키다, 저지하다
420	lament	[ləˈment]	n. 애도; v. 애통하다
421	disorder	[dɪˈsɔː.dər]	n. 따라오지 않는(무질서)
422	evacuate	[ɪˈvæk.ju.eɪt]	v. 대피시키다, 철수시키다
423	pursue	[pəˈsjuː]	v. 해나가다, 추구하다
424	endanger	[ɪnˈdeɪn.dʒər]	v. 위태롭게 하다
425	obstruct	[əbˈstrʌkt]	v. 막다, 방해하다
426	alliance	[əˈlaɪ.əns]	n. 동맹, 동맹국, 협력, 협조, 친화
427	debate	[dɪˈbeɪt]	v. 논쟁하다, 토론하다 n. 논쟁
428	solemn	[ˈsɒl.əm]	a. 엄숙한, 침통한
429	pity	[ˈpɪt.i]	n. 연민, 동정, 유감
430	halt	[hɒlt]	n. 멈춤, 중단 v. 멈추다, 서다
431	at the beginning of		p. ~의 시작에
432	have a taste for		p. ~을 좋아하다, ~에 취미가 있다.
433	table of contents		p. (책 등의) 목차
434	get along with		p. ~와 잘 지내다
435	a quantity of		p. 많은, 다량의
436	after the fact		p. (이미 일이 벌어지고 난) 사후에
437	to that end		p. 이를 위해, 그 목적을 달성하기 위하여
438	fall on		p. ~에게 부과되다, ~ 맡겨지다; ~을 습격하다
439	draw A out		p. A를 끌어내다
440	in one's opinion		p. ~의 의견으로는, ~의 입장에서는

번호	영어	한글	글자수
1	a quantity of		
2	beloved		
3	pity		
4	endanger		
5	mindlessly		
6	lament		
7	obstruct		
8	fall on		
9	to that end		
10	statement		
11	evacuate		
12	neural		
13	cite		
14	halt		
15	pursue		
16	solemn		
17	neutral		
18	esteem		
19	derive		
20	demand		

Day 11 TEST

번호	한글	영어	글자수
21	p. ~의 의견으로는, ~의 입장에서는	i	14 (p.)
22	n. 동맹, 동맹국, 협력, 협조, 친화	a	8
23	a. 최선의, 최적의	o	7
24	v. 논쟁하다, 토론하다 n. 논쟁	d	6
25	a. 순종하는	o	8
26	n. 따라오지 않는(무질서)	d	8
27	a. 지급 능력이 있는; 용해력이 있는; 용매, 용제	s	7
28	p. ~의 시작에	a	16 (p.)
29	p. (책 등의) 목차	t	15 (p.)
30	n. 낙하산	p	9
31	v. 재채기를 하다	s	6
32	v. 고발하다, 기소하다, 비난하다	a	6
33	p. ~와 잘 지내다	g	12 (p.)
34	v. 그만두게 하다, 단념시키다, 저지하다	d	5
35	p. (이미 일이 벌어지고 난) 사후에	a	12 (p.)
36	n. 원근법; 경치; 관점, 시야	p	11
37	a. 강렬한, 치열한, 심한	i	7
38	p. ~을 좋아하다, ~에 취미가 있다.	h	13 (p.)
39	p. A를 끌어내다	d	8 (p.)
40	v. 보내다, 전송하다; 전도하다; 전염시키다	t	8

번호	영어	한글	글자수
1	mandatory		
2	consonant		
3	fraud		
4	concise		
5	attain		
6	beloved		
7	come of age		
8	have a taste for		
9	severe		
10	blame A on B		
11	emerge		
12	be accustomed to N		
13	outset		
14	hoop		
15	be frightened of		
16	eligible		
17	pessimist		
18	compost		
19	catch up on		
20	pedestrian		

번호	한글	영어	글자수
21	p. 붙잡고 있다, 기다리다, 고정시키다	h	6 (p.)
22	a. 자발적인, 자연스러운	s	11
23	v. 생각해내다, 회상하다	r	9
24	n. 놀라운 일 v. 놀라다	m	6
25	a. 신성한, 신의	d	6
26	p. 나오다, 등장하다	c	7 (p.)
27	p. ~을 책임지다	a	9 (p.)
28	p. A를 버리다	c	10 (p.)
29	v. (어깨를) 으쓱하다	s	5
30	p. ~을 의식하다, ~을 알고 있다	b	13 (p.)
31	p. 낮은 가격으로	a	11 (p.)
32	p. 적어도	a	10 (p.)
33	v. 조롱하다, 경멸하다; n. 조롱, 경멸	s	5
34	p. ~할 자격이 있는	q	13 (p.)
35	n. 수입, 세입, 세수	r	7
36	n. 포식자, 약탈자, 육식동물	p	8
37	a. 움직이지 않는, 고정된	s	10
38	n. 가설	h	10
39	n. 본질, 실체; 물질	s	9
40	n. 대칭, 균형	s	8

Day 12.

441	protest	[ˈprəʊ.test]	v. 항의(하다)
442	demerit	[ˌdiːˈmer.ɪt]	n. 단점, 결점, 잘못
443	suffix	[ˈsʌf.ɪks]	n. 접미사
444	imprint	[ɪmˈprɪnt]	v. 찍다; ~에게 감명을 주다
445	sewage	[ˈsuː.ɪdʒ]	n. 하수, 오물, 오수
446	curb	[kɜːb]	v. 억제하다
447	reduce	[rɪˈdʒuːs]	v. 줄이다, 낮추다
448	mob	[mɒb]	n. 군중, 폭도, 떼
449	fate	[feɪt]	n. 운명, 숙명
450	restrict	[rɪˈstrɪkt]	v. ~을 제한하다, 금지하다, 한정하다
451	conduct	[kənˈdʌkt]	v. 행하다, 지휘하다, 안내하다; 지휘, 지도, 행위
452	taboo	[təˈbuː]	n. 금기, 금기시되는 것 a. 금제의
453	relieve	[rɪˈliːv]	v. 경감시키다, 완화시키다
454	wield	[wiːld]	v. 휘두르다, 쓰다
455	coward	[ˈkaʊ.əd]	n. 겁쟁이
456	overlook	[ˌəʊ.vəˈlʊk]	v. 묵살하다, 간과하다
457	stall	[stɔːl]	n. 마굿간; 매점; 가판대; 칸막이 벽, 칸
458	decree	[dɪˈkriː]	n. 법령, 포고
459	initiate	[ɪˈnɪʃ.i.eɪt]	v. 시작하다, 착수하다; 전수하다
460	paradox	[ˈpær.ə.dɒks]	n. 역설, 모순된 일
461	extinguish	[ɪkˈstɪŋ.gwɪʃ]	v. 끄다, 소멸시키다
462	trace	[treɪs]	v. 추적하다; 밝혀내다; n. 자취, 발자국
463	inflame	[ɪnˈfleɪm]	v. 자극하다, 불을 붙이다, 타오르다
464	mobilize	[ˈməʊ.bɪ.laɪz]	v. 동원하다
465	absorb	[əbˈzɔːb]	v. 흡수하다, 받아들이다
466	attempt	[əˈtempt]	n. 시도, 노력 v. 시도하다
467	reside	[rɪˈzaɪd]	v. 거주하다, 살다
468	cemetery	[ˈsem.ə.tri]	n. 공동묘지
469	release	[rɪˈliːs]	v. 석방하다, 놓아주다; 발표하다 n. 해방, 면제
470	craft	[krɑːft]	v. 공들여 만들다 n. 공예, 기술
471	a bunch of		p. 많은, 다수의
472	invest A with B		p. A에게 B를 주다, 투자하다
473	more often than not		p. 대개, 흔히
474	at the moment		p. 지금
475	in common with		p. ~와 공통으로 / ~와 같게
476	feed on		p. ~을 먹이로 하다
477	at a 형 price		p. ~한 가격으로
478	cut out		p. 멈추다; 급히 떠나다
479	out of date		p. 시대에 뒤떨어진, 구식의
480	be subjected to N		p. ~을 받다; ~을 겪다

번호	영어	한글	글자수
1	be subjected to N		
2	in common with		
3	fate		
4	protest		
5	curb		
6	imprint		
7	demerit		
8	out of date		
9	cemetery		
10	release		
11	initiate		
12	restrict		
13	relieve		
14	reside		
15	invest A with B		
16	trace		
17	attempt		
18	feed on		
19	taboo		
20	coward		

번호	한글	영어	글자수
21	v. 행하다, 지휘하다, 안내하다; 지휘, 지도, 행위	c	7
22	v. 끄다, 소멸시키다	e	10
23	n. 하수, 오물, 오수	s	6
24	p. 대개, 흔히	m	16 (p.)
25	v. 휘두르다, 쓰다	w	5
26	v. 줄이다, 낮추다	r	6
27	v. 공들여 만들다 n. 공예, 기술	c	5
28	v. 묵살하다, 간과하다	o	8
29	p. ~한 가격으로	a	9 (p.)
30	p. 많은, 다수의	a	8 (p.)
31	n. 군중, 폭도, 떼	m	3
32	v. 동원하다	m	8
33	p. 멈추다; 급히 떠나다	c	6 (p.)
34	v. 흡수하다, 받아들이다	a	6
35	n. 마굿간; 매점; 가판대; 칸막이 벽, 칸	s	5
36	v. 자극하다, 불을 붙이다, 타오르다	i	7
37	n. 법령, 포고	d	6
38	n. 역설, 모순된 일	p	7
39	n. 접미사	s	6
40	p. 지금	a	11 (p.)

종합 TEST

번호	영어	한글	글자수
1	definite		
2	get into shape		
3	vegetation		
4	frustrate		
5	reside		
6	ferry		
7	have a taste for		
8	alliance		
9	distinguish		
10	halve		
11	one after another		
12	prompt		
13	grasp		
14	inflame		
15	to that end		
16	preside		
17	depending on		
18	around the clock		
19	catch up on		
20	trace		

번호	한글	영어	글자수
21	p. ~의 비용 부담으로	a	11 (p.)
22	n. 금기, 금기시되는 것 a. 금제의	t	5
23	v. 사라지다, 소멸하다	v	6
24	v. 칭찬하다; 맡기다, 위탁하다	c	7
25	n. 얼룩; v. 마구 바르다, 더럽히다	s	5
26	v. 정렬시키다; 잘 차려 입히다 n. 대형, 배치	a	5
27	n. 불안, 우려, 불안감	u	6
28	a. 순종하는	o	8
29	n. 목수	c	9
30	v. 지키다, 준수하다; 관찰하다	o	7
31	p. 수입을 초과하여 살다	l	21 (p.)
32	v. 찍다; ~에게 감명을 주다	i	7
33	n. 팽창 v. 부풀다, 부풀어 오르다	s	5
34	n. 하부조직(구조), 기초, 토대; 사회 기반 시설	i	14
35	p. ~에 적응하다, ~에 조정하다	a	9 (p.)
36	v. 부착하다, 고수하다, 지지하다	a	6
37	v. 실을 꿰다 n. 실	t	6
38	p. ~에 붙어 있다	b	12 (p.)
39	v. 애도하다, 슬퍼하다	m	5
40	n. 가설	h	10

Day 13.

481	notable	[ˈnəʊ.tə.bəl]	a. 주목할 만한
482	eject	[iˈdʒekt]	v. 밖으로 던지다; 분출하다
483	complicate	kɑ́mpləkèit ǀ kɔm-]	v. 복잡하게 하다
484	paralyze	[ˈpær.əl.aɪz]	v. 마비시키다, 활동 불능이 되게 하다
485	conscience	[ˈkɒn.ʃəns]	n. 양심, 도덕심
486	illiterate	[ɪˈlɪt.ər.ət]	a. 글을 모르는, 문맹의
487	comprise	[kəmˈpraɪz]	v. 구성하다
488	enrich	[ɪnˈrɪtʃ]	v. 부유하게 하다, 풍요롭게 하다
489	parliament	[ˈpɑː.lɪ.mənt]	n. 국회, 입법부
490	silhouette	[sìluét]	n. 검은 윤곽, 실루엣
491	anonymous	[əˈnɒn.ɪ.məs]	a. 이름이 없는 n. 익명
492	potable	[ˈpəʊ.tə.bəl]	a. 마실 수 있는
493	communism	[ˈkɒm.jə.nɪ.zəm]	n. 공산주의
494	distract	[dɪˈstrækt]	v. 딴 데로 돌리다, 산만하게 하다
495	geometry	[dʒiˈɒm.ə.tri]	n. 기하학, 기하학적 구조
496	stout	[staʊt]	a. 통통한, 튼튼한; n. 흑맥주
497	lyric	[ˈlɪr.ɪk]	n. 노래가사; a. 서정시의
498	profound	[prəˈfaʊnd]	a. 강한; 심오한; 깊은 n. 깊은 바다(심연)
499	adequate	[ˈæd.ə.kwət]	a. 적절한
500	interfere	[ˌɪn.təˈfɪər]	v. 방해하다, 간섭하다
501	anecdote	[ˈæn.ɪk.dəʊt]	n. 일화
502	archery	[ˈɑː.tʃər.i]	n. 양궁, 활쏘기
503	digest	[daɪˈdʒest]	v. 소화하다; 이해하다
504	watchful	[ˈwɒtʃ.fəl]	a. 지켜보는, 주의 깊은
505	cumulative	[ˈkjuː.mjə.lə.tɪv]	a. 누적되는, 가중의
506	listless	[ˈlɪst.ləs]	a. 힘이 없는, 무기력한
507	verbal	[ˈvɜː.bəl]	a. 말의, 문자 그대로의
508	composure	[kəmˈpəʊ.ʒər]	n. 침착함, 평정심
509	haste	[heɪst]	n. 급함, 서두름; v. 서두르다
510	terminate	[ˈtɜː.mɪ.neɪt]	v. 끝나다, 종료되다, 끝내다
511	in an effort to do		p. ~하려는 노력으로
512	in the face of		p. ~에도 불구하고, ~에 직면하여
513	in conclusion		p. 결론적으로, 끝으로
514	get A out		p. A를 생산하다
515	at latest		p. 늦어도 ~까지는
516	in good faith		p. 옳다고 믿으며, 선의로
517	at one another		p. 서로
518	by law		p. 법에 의해
519	in a series		p. 잇달아, 연이어
520	come to one's rescue		p. ~을 구조하러 오다

번호	영어	한글	글자수
1	silhouette		
2	eject		
3	potable		
4	in the face of		
5	interfere		
6	terminate		
7	illiterate		
8	come to one's rescue		
9	distract		
10	verbal		
11	listless		
12	haste		
13	anecdote		
14	comprise		
15	paralyze		
16	geometry		
17	lyric		
18	parliament		
19	enrich		
20	notable		

번호	한글	영어	글자수
21	v. 복잡하게 하다	c	10
22	a. 누적되는, 가중의	c	10
23	a. 적절한	a	8
24	a. 강한; 심오한; 깊은 n. 깊은 바다(심연)	p	8
25	p. A를 생산하다	g	7 (p.)
26	a. 통통한, 튼튼한; n. 흑맥주	s	5
27	p. 결론적으로, 끝으로	i	12 (p.)
28	a. 지켜보는, 주의 깊은	w	8
29	p. 잇달아, 연이어	i	9 (p.)
30	a. 이름이 없는 n. 익명	a	9
31	p. 법에 의해	b	5 (p.)
32	p. 서로	a	12 (p.)
33	n. 공산주의	c	9
34	n. 양심, 도덕심	c	10
35	p. 옳다고 믿으며, 선의로	i	11 (p.)
36	n. 침착함, 평정심	c	9
37	p. ~하려는 노력으로	i	14 (p.)
38	v. 소화하다; 이해하다	d	6
39	n. 양궁, 활쏘기	a	7
40	p. 늦어도 ~까지는	a	8 (p.)

번호	영어	한글	글자수
1	optimal		
2	compost		
3	initiate		
4	one after another		
5	congress		
6	emerge		
7	at the beginning of		
8	infection		
9	liable		
10	infrastructure		
11	array		
12	arise		
13	radius		
14	pity		
15	hypothesis		
16	get past		
17	vertical		
18	sarcastic		
19	act against one's will		
20	provision		

번호	한글	영어	글자수
21	n. 급함, 서두름; v. 서두르다	h	5
22	n. 선거구 지역, 구역	d	8
23	p. ~할 수 밖에 없다	h	19 (p.)
24	a. 정확한	p	7
25	a. 인식의, 인지의	c	9
26	p .일리가 있다; 장점이 있다	h	10 (p.)
27	n. 10년	d	6
28	a. 정확한, 정밀한	a	8
29	v. 끄다, 소멸시키다	e	10
30	v. 파내다, 발굴하다; 밝혀 내다	u	7
31	a. 적격의, 자격이 있는	e	8
32	a. 통통한, 튼튼한; n. 흑맥주	s	5
33	p. 잇달아, 연이어	i	9 (p.)
34	a. 중세의 [ev 시대(age)]	m	8
35	n. 불행, 고통, 비참(함)	m	6
36	p. 운동하다; 알아내다, 해결하다; 계산하다	w	7 (p.)
37	v. 요구하다, 청구하다; 수요	d	6
38	p. ~을 허용하다, ~을 가능하게 하다	a	8 (p.)
39	a. 말의, 문자 그대로의	v	6
40	n. 미신, 미신적 행위	s	12

Day 14.

521	wreckage	[ˈrek.ɪdʒ]	n. 난파, 잔해물, 잔해
522	surpass	[səˈpɑːs]	v. ~을 능가하다, ~보다 낫다
523	celsius	[ˈsel.si.əs]	n. 섭씨
524	repute	[ripjúːt]	v. 평하다, 생각하다 n. 평판, 소문
525	council	[ˈkaʊn.səl]	n. 위원회, 심의회, 지방 의회
526	startle	[ˈstɑː.təl]	v. 깜짝 놀라게 하다
527	allocate	[ˈæl.ə.keɪt]	v. 할당하다, 배분하다
528	attribute	[ˈæt.rɪ.bjuːt]	v. ~탓으로 돌리다; n. 속성, 성질
529	outspoken	[ˌaʊtˈspəʊ.kən]	a. 거리낌 없는, 솔직한
530	align	[əˈlaɪn]	v. 일렬로 하다, 정렬시키다, 조정하다
531	curse	[kɜːs]	n. 저주; v. 저주하다
532	flavor	[ˈfleɪ.vər]	n. 풍미, 향미, 맛; 향미료, 조미료
533	kindle	[ˈkɪn.dəl]	v. (불을 붙이다), 태우다
534	resign	[rɪˈzaɪn]	v. 사임하다
535	atmosphere	[ˈæt.mə.sfɪər]	n. 공기의 영역(대기권), 분위기
536	devastate	[ˈdev.ə.steɪt]	v. 완전히 파괴하다, 유린하다, 황폐화하다
537	furnish	[ˈfɜː.nɪʃ]	v. (가구를) 비치하다, 제공하다
538	physiology	[fiziɑ́lədʒi]	n. 생리학, 생리 (기능)
539	beware	[bɪˈweər]	v. 조심하다, 주의하다
540	competent	[ˈkɒm.pɪ.tənt]	a. 유능한, 능숙한
541	lad	[læd]	n. 사내애, 청년
542	suppress	[səˈpres]	v. 진압하다, 억제하다; 참다
543	alienation	[ˌeɪ.li.əˈneɪ.ʃən]	n. 소외감
544	imperial	[ɪmˈpɪə.ri.əl]	a. 제국의, 황제의
545	affirm	[əˈfɜːm]	v. 확언하다, 단언하다, 주장하다
546	remark	[rɪˈmɑːk]	n. 논평, 말 v. 논평하다, 발언하다, 주목하다
547	frantic	[ˈfræn.tɪk]	a. 미친듯이 서두는, 제정신이 아닌
548	tempt	[tempt]	v. 유혹하다
549	hibernate	[háibərnèit]	v. 동면하다
550	irrespective	[irispéktiv]	a. 상관하지 않는, 고려하지 않고
551	impose A on B		p. A를 B에 부과하다, 선고하다
552	come to do		p. ~하게 되다
553	on one hand		p. 한편으로는
554	set an example of		p. ~의 본보기가 되다
555	excuse oneself for		p. ~에 대해 변명하다, 사과하다
556	in any case		p. 어떠한 경우에도
557	hold together		p. 단결시키다
558	catch hold of		p. ~을 (붙)잡다
559	get into trouble		p. ~을 어려움에 빠뜨리다
560	at all times		p. 항상

번호	영어	한글	글자수
1	physiology		
2	kindle		
3	beware		
4	allocate		
5	catch hold of		
6	surpass		
7	tempt		
8	impose A on B		
9	at all times		
10	furnish		
11	set an example of		
12	startle		
13	repute		
14	affirm		
15	lad		
16	outspoken		
17	council		
18	devastate		
19	irrespective		
20	competent		

번호	한글	영어	글자수
21	p. 한편으로는	o	9 (p.)
22	n. 풍미, 향미, 맛; 향미로, 조미료	f	6
23	v. 사임하다	r	6
24	p. ~하게 되다	c	8 (p.)
25	a. 제국의, 황제의	i	8
26	n. 논평, 말 v. 논평하다, 발언하다, 주목하다	r	6
27	p. 어떠한 경우에도	i	9 (p.)
28	p. ~에 대해 변명하다, 사과하다	e	16 (p.)
29	n. 저주; v. 저주하다	c	5
30	v. ~탓으로 돌리다; n. 속성, 성질	a	9
31	v. 진압하다, 억제하다; 참다	s	8
32	v. 일렬로 하다, 정렬시키다, 조정하다	a	5
33	n. 섭씨	c	7
34	n. 소외감	a	10
35	n. 공기의 영역(대기권), 분위기	a	10
36	p. 단결시키다	h	12 (p.)
37	n. 난파, 잔해물, 잔해	w	8
38	p. ~을 어려움에 빠뜨리다	g	14 (p.)
39	a. 미친듯이 서두는, 제정신이 아닌	f	7
40	v. 동면하다	h	9

번호	영어	한글	글자수
1	imprint		
2	statistics		
3	definite		
4	janitor		
5	surplus		
6	manipulate		
7	feed on		
8	hand over		
9	table of contents		
10	unease		
11	enrich		
12	shatter		
13	charity		
14	detective		
15	imperial		
16	exhaust		
17	standpoint		
18	coffin		
19	hold together		
20	contradict		

번호	한글	영어	글자수
21	p. A와 B를 통합시키다	i	15 (p.)
22	v. 망치다, 파산시키다; 파산, 붕괴	r	4
23	a. 글을 모르는, 문맹의	i	10
24	n. 겁쟁이	c	6
25	v. 빼다, 감하다	s	8
26	a. 책임을 져야 할, ~ 경향이 있는, ~하기 쉬운	l	6
27	v. 탐닉하다, ~에 빠지다; 내버려 두다	i	7
28	p. 차례로	b	7 (p.)
29	n. 분화구	c	6
30	v. 생각해내다, 회상하다	r	9
31	p. 멈추다; 급히 떠나다	c	6 (p.)
32	v. 고집하다, 노력하다, 견디다	p	9
33	p. 시대에 뒤떨어진, 구식의	o	9 (p.)
34	v. 나오다, 나타나다; 벗어나다	e	6
35	n. 노래가사; a. 서정시의	l	5
36	v. 막다, 방해하다	o	8
37	n. 연민, 동정, 유감	p	4
38	n. 흔들림; v. 흔들리다	s	4
39	a. 최대의, 극도의	u	6
40	v. (주장 등을) 뒷받침하다; 토대를 제공하다	u	8

번호	한글	영어	글자수

Day 15.

561	notate	[nóuteit]	v. 악보로 표시하다; 기록하다, 적어두다
562	thorn	[θɔːrn]	n. 가시; 고통을 주는 것
563	frigid	[ˈfrɪdʒ.ɪd]	a. 몹시 추운, 냉담한
564	corrupt	[kəˈrʌpt]	v. 부패시키다, 타락시키다
565	stockpile	[ˈstɒk.paɪl]	n. 비축, 비축량 v. 비축하다
566	trim	[trɪm]	v. (깎아) 다듬다, 없애다; 삭감하다
567	abandon	[əˈbæn.dən]	v. 단념하다, 포기하다, 버리다
568	obsolete	[ˌɒb.səlˈiːt]	a. 쇠퇴한, 구식의
569	gloomy	[ˈɡluː.mi]	a. 우울한
570	commodity	[kəˈmɒd.ə.ti]	n. 상품, 판매 상품
571	overwhelm	[ˌəʊ.vəˈwelm]	v. 제압하다, 압도하다
572	tuition	[tʃuːˈɪʃ.ən]	n. 교육; 수업료
573	diplomacy	[dɪˈpləʊ.mə.si]	n. 공문서; 외교
574	mediate	[ˈmiː.di.eɪt]	v. 조정하다, 중재하다
575	hazard	[ˈhæz.əd]	n. 위험 v. ~을 위태롭게 하다
576	valid	[ˈvæl.ɪd]	a. 유효한
577	discourse	[dískɔːrs --ˈ]	n. 이야기, 대화; 강연; 담론, 담화
578	reckless	[ˈrek.ləs]	a. 무모한, 신중하지 못한
579	assume	[əˈsjuːm]	v. 가정하다, 추측하다; 떠맡다; ~인 체하다
580	conform	[kənˈfɔːm]	v. (행동, 생각을) 같이하다, 순응하다
581	perish	[ˈper.ɪʃ]	v. 멸망하다, 갑자기 죽다; 썩다; 타락하다
582	urge	[ɜːdʒ]	v. 재촉하다, 추진하다; n. 욕구, 충동
583	subordinate	[səˈbɔː.dɪ.nət]	a. 하위의 ; 부차적인, 부수적인; n. 부하
584	deadly	[ˈded.li]	a. 치명적인, 극도의
585	overthrow	[ˌəʊ.vəˈθrəʊ]	n. 타도, 전복 v. 전복시키다, 뒤엎다
586	depict	[dɪˈpɪkt]	v. 묘사하다, 서술하다
587	devote	[dɪˈvəʊt]	v. (노력·돈·시간 따위를) 들이다, 바치다
588	adolescent	[ˌæd.əˈles.ənt]	a. 사춘기 청소년의, 청년의
589	strife	[straɪf]	n. 분쟁, 불화, 반목
590	administration	[ədˌmɪn.ɪˈstreɪ.ʃən]	n. 관리, 행정(부)
591	carry on		p. 계속 수행하다, 계속 ~하다
592	do away with		p. 폐지하다, 없애다
593	commitment to N		p. ~에 대한 헌신
594	react to N		p. ~에 반응하다
595	cold to N		p. ~에 냉담한
596	take A for granted		p. A를 당연하게 여기다
597	on one's own		p. 독자적으로
598	cope with		p. 다루다, 대처하다
599	in a word		p. 한마디로
600	call after		p. ~을 따라 이름 짓다

번호	영어	한글	글자수
1	trim		
2	cold to N		
3	cope with		
4	adolescent		
5	reckless		
6	stockpile		
7	depict		
8	in a word		
9	discourse		
10	commitment to N		
11	notate		
12	tuition		
13	carry on		
14	strife		
15	gloomy		
16	frigid		
17	valid		
18	hazard		
19	react to N		
20	assume		

번호	영어	한글	글자수

번호	한글	영어	글자수
21	v. (행동, 생각을) 같이하다, 순응하다	c	7
22	a. 치명적인, 극도의	d	6
23	v. 재촉하다, 추진하다; n. 욕구, 충동	u	4
24	n. 공문서; 외교	d	9
25	v. 제압하다, 압도하다	o	9
26	n. 가시; 고통을 주는 것	t	5
27	v. 멸망하다, 갑자기 죽다; 썩다; 타락하다	p	6
28	n. 타도, 전복 v. 전복시키다, 뒤엎다	o	9
29	v. 단념하다, 포기하다, 버리다	a	7
30	p. 독자적으로	o	10 (p.)
31	a. 쇠퇴한, 구식의	o	8
32	p. 폐지하다, 없애다	d	10 (p.)
33	a. 하위의 ; 부차적인, 부수적인; n. 부하	s	11
34	v. (노력·돈·시간 따위를) 들이다, 바치다	d	6
35	n. 관리, 행정(부)	a	14
36	n. 상품, 판매 상품	c	9
37	v. 조정하다, 중재하다	m	7
38	p. ~을 따라 이름 짓다	c	9 (p.)
39	p. A를 당연하게 여기다	t	15 (p.)
40	v. 부패시키다, 타락시키다	c	7

종합 TEST

번호	영어	한글	글자수
1	by way of		
2	come across		
3	deter		
4	accurate		
5	have a taste for		
6	synthetic		
7	except for		
8	stockpile		
9	cast A aside		
10	compound		
11	vegetation		
12	ambiguous		
13	alliance		
14	at a charge of		
15	intense		
16	cumulative		
17	notate		
18	cite		
19	colony		
20	lyric		

번호	한글	영어	글자수
21	v. 고발하다, 기소하다, 비난하다	a	6
22	v. 달래다, 위로하다	c	7
23	v. 탐닉하다, ~에 빠지다; 내버려 두다	i	7
24	v. 동면하다	h	9
25	v. 복제하다, 되풀이하다 a. 복제의 n. 복제	d	9
26	v. 녹이다; 종료시키다, 없어지다, 소실되다	d	8
27	n. 검은 윤곽, 실루엣	s	10
28	n. (약의 1회분) 복용량, 투여량	d	4
29	n. 비관론자, 염세주의자	p	9
30	v. 구두점을 찍다, (말을) 중단시키다	p	9
31	v. 오래 머무르다; 지속되다	l	6
32	n. 팽창 v. 부풀다, 부풀어 오르다	s	5
33	a. (대단히) 사랑하는	b	7
34	p. ~에 문제가 있다; ~에 반대하다	h	16 (p.)
35	p. ~을 넘어서다, ~을 지나가다	g	7 (p.)
36	a. 과잉, 과잉의	s	7
37	n. 위험 v. ~을 위태롭게 하다	h	6
38	a. 사춘기 청소년의, 청년의	a	10
39	n. 하부조직(구조), 기초, 토대; 사회 기반 시설	i	14
40	a. 정성들인, 정교한 v. 상세히 설명하다	e	9

Day 16.

601	discriminate	[dɪˈskrɪm.ɪ.neɪt]	v. 차별하다, 구별하다
602	compulsive	[kəmˈpʌl.sɪv]	a. 강박적인, 충동적인
603	sequence	[ˈsiː.kwəns]	n. 순서, 연속; (연속된) 한 장면
604	portray	[pɔːˈtreɪ]	v. 묘사하다
605	shed	[ʃed]	v. 깎다; 흘리다 n. 간이 창고, 차고; 헛간
606	fortify	[fɔ́ːrtəfài]	v. 강화하다, 요새화하다
607	glide	[ɡlaɪd]	v. 미끄러지듯 가다, 활공하다
608	deposit	[dɪˈpɒz.ɪt]	n. 계약금, 예약금, 예금; 퇴적물, 침전물
609	designate	[ˈdez.ɪɡ.neɪt]	v. 가리키다, 나타내다; 임명하다
610	entail	[ɪnˈteɪl]	v. (결과를) 수반하다, 필요로 하다
611	combustion	[kəmˈbʌs.tʃən]	n. 연소, 산화, 불에 탐
612	dominate	[ˈdɒm.ɪ.neɪt]	v. (살면서) 지배하다
613	melancholy	[ˈmel.ən.kɒl.i]	a. 우울한, 슬픈
614	worship	[ˈwɜː.ʃɪp]	v. 예배하다, 숭배하다
615	contemplate	[ˈkɒn.təm.pleɪt]	v. 심사숙고하다, 신중하게 살펴보다
616	enlightenment	[ɪnˈlaɪ.tən.mənt]	n. 깨달음
617	indebt	[indét]	a. 부채가 있는, 빚이 있는: 은혜를 입은
618	edible	[ˈed.ə.bəl]	a. 먹기에 좋은
619	inhale	[ɪnˈheɪl]	v. 흡입하다
620	breed	[briːd]	v. 번식하다; 새끼를 낳다; 사육하다, 재배하다
621	condemn	[kənˈdem]	v. 비난하다; 선고하다
622	mischance	[ˌmɪsˈtʃɑːns]	n. 불운, 불행
623	superb	[suːˈpɜːb]	a. 장엄한, 화려한, 훌륭한
624	accentuate	[əkˈsen.tʃu.eɪt]	v. 강조하다, 두드러지게 하다
625	abrupt	[əˈbrʌpt]	a. 돌연한, 갑작스러운
626	insist	[ɪnˈsɪst]	v. 주장하다; 요구하다
627	peel	[piːl]	v. (껍질을) 벗기다; 옷을 벗다; 이탈하다
628	sting	[stɪŋ]	v. 찌르다; 자극하다 n. 아픔, 날카로움
629	enormous	[ɪˈnɔː.məs]	a. 거대한, 어마어마한, 엄청난
630	blush	[blʌʃ]	v. 얼굴을 붉히다, 빨개지다
631	at one's convenience		p. ~가 편한 때에
632	take pride in		p. ~을 자랑하다
633	end up		p. 결국 ~이 되다
634	have only to do		p. ~하기만 하면 된다.
635	have a handle on		p. 이해하다, 알아듣다
636	honour A with B		p. A에게 B를 수여하다
637	at no cost		p. 공짜로
638	in a degree		p. 조금은, 어느 정도
639	for fear of		p. ~을 두려워하다, ~을 경외하다
640	at times		p. 때때로

번호	영어	한글	글자수
1	breed		
2	superb		
3	deposit		
4	enlightenment		
5	discriminate		
6	honour A with B		
7	have only to do		
8	sequence		
9	blush		
10	glide		
11	inhale		
12	for fear of		
13	mischance		
14	condemn		
15	combustion		
16	edible		
17	fortify		
18	at one's convenience		
19	worship		
20	have a handle on		

Day 16 TEST

번호	한글	영어	글자수
21	v. 강조하다, 두드러지게 하다	a	10
22	v. (결과를) 수반하다, 필요로 하다	e	6
23	a. 돌연한, 갑작스러운	a	6
24	p. 결국 ~이 되다	e	5 (p.)
25	v. 심사숙고하다, 신중하게 살펴보다	c	11
26	a. 우울한, 슬픈	m	10
27	v. 깎다; 흘리다 n. 간이 창고, 차고; 헛간	s	4
28	v. 찌르다; 자극하다 n. 아픔, 날카로움	s	5
29	v. 주장하다; 요구하다	i	6
30	v. (껍질을) 벗기다; 옷을 벗다; 이탈하다	p	4
31	a. 거대한, 어마어마한, 엄청난	e	8
32	v. 묘사하다	p	7
33	p. 조금은, 어느 정도	i	9 (p.)
34	p. 공짜로	a	8 (p.)
35	a. 부채가 있는, 빚이 있는; 은혜를 입은	i	6
36	p. 때때로	a	7 (p.)
37	p. ~을 자랑하다	t	11 (p.)
38	v. 가리키다, 나타내다; 임명하다	d	9
39	a. 강박적인, 충동적인	c	10
40	v. (살면서) 지배하다	d	8

번호	영어	한글	글자수
1	sob		
2	trace		
3	valid		
4	reprove		
5	prefer A to B		
6	parallel		
7	halve		
8	worship		
9	atmosphere		
10	irrespective		
11	sneeze		
12	cognitive		
13	strive for		
14	pursue		
15	be terrified of		
16	indifferent		
17	detective		
18	conduct		
19	by way of		
20	sow	종합 TEST	

번호	영어	한글	글자수

번호	한글	영어	글자수
21	p. ~에 붙어 있다	b	12 (p.)
22	a. 몹시 추운, 냉담한	f	6
23	v. 그만두게 하다, 단념시키다, 저지하다	d	5
24	v. 막다, 방해하다	o	8
25	a. 하위의 ; 부차적인, 부수적인; n. 부하	s	11
26	n. 생리학, 생리 (기능)	p	10
27	p. ~을 제외하고	e	9 (p.)
28	p. ~에 적응하다, ~에 조정하다	a	9 (p.)
29	v. 부유하게 하다, 풍요롭게 하다	e	6
30	v. 기르다, 양육하다	n	7
31	a. 강렬한, 치열한, 심한	i	7
32	a. 유능한, 능숙한	c	9
33	n. 구멍; 충치	c	6
34	v. 내던지다, 퍼붓다	f	5
35	v. 바느질하다; 바늘땀, 코, 바느질	s	6
36	p. 멈추다; 급히 떠나다	c	6 (p.)
37	p. ~할 자격이 있는	q	13 (p.)
38	n. 목수	c	9
39	a. 초보의, 초급의, 기본적인	e	10
40	v. 드러내다, 나타내다, 보여주다	r	6

Day 17.

641	compress	[kəmˈpres]	v. 압축하다, 꽉 누르다
642	foe	[fou]	n. 적, 원수
643	throne	[θrəʊn]	n. 왕좌, 왕위
644	flush	[flʌʃ]	v. (얼굴이) 붉어지다; 물이 쏟아지다
645	shrink	[ʃrɪŋk]	v. 줄어들다
646	lure	[luər]	v. 꾀다, 유혹하다
647	predominant	[prɪˈdɒm.ɪ.nənt]	a. 두드러진, 우세한, 지배적인
648	cultivate	[ˈkʌl.tɪ.veɪt]	v. 기르다, 함양하다, 재배하다; 계발하다
649	intervene	[ˌɪn.təˈviːn]	v. 중재하다, 개입하다
650	tense	[tens]	a. 팽팽한, 긴장한, 절박한; n. 시제
651	warrant	[ˈwɒr.ənt]	n. 영장 v. 보장하다
652	awkward	[ˈɔː.kwəd]	a. 어색한, 곤란한
653	census	[ˈsen.səs]	n. 인구 조사
654	exploit	[ɪkˈsplɔɪt]	v. 이용하다; 개발하다; n. 공, 업적
655	strain	[streɪn]	v. 긴장시키다 n. 힘을 주어 팽팽함
656	possess	[pəˈzes]	v. 소유하다, 지배하다
657	anticipate	[ænˈtɪs.ɪ.peɪt]	v. 예상하다, 기대하다
658	confess	[kənˈfes]	v. 인정하다, 시인하다; 고백하다
659	famine	[fǽmin]	n. 기아, 기근; 결핍
660	ritual	[ˈrɪtʃ.u.əl]	a. 의식 절차; 의식상의, 의례적인
661	fundamental	[ˌfʌn.dəˈmen.təl]	a. 근본적인, 기본적인; 중요한, 필수의
662	substitute	[ˈsʌb.stɪ.tʃuːt]	v. 대체하다, 바꾸다; 대신하다
663	dedicate	[ˈded.ɪ.keɪt]	v. 헌신하다, 전념하다, 바치다
664	captive	[ˈkæp.tɪv]	n. 포로 a. 사로잡힌, 억류된
665	bruise	[bruːz]	n. 멍, 타박상
666	smother	[ˈsmʌð.ər]	v. 질식하게 만들다, 덮어서 불을 끄다
667	starve	[staːrv]	v. 굶주리다, 굶어 죽다, 굶기다, 굶겨 죽이다
668	swallow	[ˈswɒl.əʊ]	n. 제비; v. 삼키다
669	fad	[fæd]	n. (일시적인) 유행
670	thrift	[θrɪft]	n. 절약, 검약
671	attract A to B		p. A를 B로 끌어들이다
672	in the coming year		p. 다음 해에
673	owe A to B		p. A는 B 덕분이다
674	be familiar with		p. ~에 익숙하다, ~을 잘 알다
675	equipped with		p. ~을 갖춘
676	none the worse		p. 더 나쁠 거 없는, 똑같은
677	chop up		p. ~을 잘게 자르다
678	in the air		p. 헛된, 근거 없는
679	take in		p. ~에 참여하다; ~로 받아들이다
680	get around		p. 돌아다니다

번호	영어	한글	글자수
1	anticipate		
2	none the worse		
3	exploit		
4	chop up		
5	take in		
6	cultivate		
7	be familiar with		
8	dedicate		
9	captive		
10	fad		
11	awkward		
12	census		
13	fundamental		
14	lure		
15	thrift		
16	flush		
17	intervene		
18	strain		
19	attract A to B		
20	tense		

번호	한글	영어	글자수
21	v. 굶주리다, 굶어 죽다, 굶기다, 굶겨 죽이다	s	6
22	a. 두드러진, 우세한, 지배적인	p	11
23	v. 압축하다, 꽉 누르다	c	8
24	n. 기아, 기근; 결핍	f	6
25	n. 멍, 타박상	b	6
26	p. A는 B 덕분이다	o	7 (p.)
27	p. ~을 갖춘	e	12 (p.)
28	n. 제비; v. 삼키다	s	7
29	n. 적, 원수	f	3
30	n. 왕좌, 왕위	t	6
31	v. 대체하다, 바꾸다; 대신하다	s	10
32	v. 질식하게 만들다, 덮어서 불을 끄다	s	7
33	a. 의식 절차; 의식상의, 의례적인	r	6
34	p. 다음 해에	i	15 (p.)
35	v. 인정하다, 시인하다; 고백하다	c	7
36	p. 헛된, 근거 없는	i	8 (p.)
37	n. 영장 v. 보장하다	w	7
38	v. 줄어들다	s	6
39	p. 돌아다니다	g	9 (p.)
40	v. 소유하다, 지배하다	p	7

번호	영어	한글	글자수
1	at a discount		
2	boredom		
3	imprint		
4	ripe		
5	mourn		
6	anonymous		
7	neutral		
8	take pride in		
9	devastate		
10	physiology		
11	stall		
12	A rather than B		
13	cemetery		
14	compost		
15	reside		
16	commodity		
17	frustrate		
18	solemn		
19	murmur		
20	compassion		

번호	영어	한글	글자수

번호	한글	영어	글자수
21	n. 수입, 세입, 세수	r	7
22	v. 조정하다, 중재하다	m	7
23	p. A를 염두에 두고	w	11 (p.)
24	a. 장엄한, 당당한	m	11
25	v. 부유하게 하다, 풍요롭게 하다	e	6
26	a. 빽빽한; 간결한 n. 협정, 계약	c	7
27	v. 가까워지다, 근접하다 a. 근사치의, 대략적인	a	11
28	p. ~을 어려움에 빠뜨리다	g	14 (p.)
29	p. 시작하다, [계약 따위를] 맺다	e	9 (p.)
30	p. 늦어도 ~까지는	a	8 (p.)
31	v. 그만두게 하다, 단념시키다, 저지하다	d	5
32	n. 소외감	a	10
33	n. 테, 쇠테, 링, 굴렁쇠	h	4
34	p. 시대에 뒤떨어진, 구식의	o	9 (p.)
35	v. 재촉하다, 추진하다; n. 욕구, 충동	u	4
36	n. 돌연변이, 변화, 변천	m	8
37	v. 추적하다; 밝혀내다; n. 자취, 발자국	t	5
38	a. 통통한, 튼튼한; n. 흑맥주	s	5
39	v. 낙담시키다; 불경기로 만들다	d	7
40	a. 솔직한, 숨김없는, 명백한, 공정한	f	5

Day 18.

681	implement	[ˈɪm.plɪ.ment]	n. 도구; v. 실행하다, 시행하다
682	intuition	[ɪntjuːˈɪʃən]	n. 직관, 직관력, 통찰력
683	encyclopedia	[ɪnˌsaɪ.kləˈpiː.di.ə]	n. 백과사전
684	alchemy	[ˈæl.kə.mi]	n. 연금술, 신비한 힘, 마력
685	popularity	[ˌpɒp.jəˈlær.ə.ti]	n. 많은 사람들이 알고 있는 사람, 명성
686	stance	[stɑːns]	n. 입장, 태도, 자세
687	correspond	[ˌkɒr.ɪˈspɒnd]	v. ~와 일치하다
688	crack	[kræk]	v. 깨다, 갈라지다; (사건·암호 등을) 풀다
689	temperate	[ˈtem.pər.ət]	a. 온화한, 온난한; 온건한, 도를 넘지 않는
690	inflow	[ˈɪn.fləʊ]	n. 유입, 유입량
691	realty	[ˈrɪəl.ti]	n. 부동산
692	forbid	[fəˈbɪd]	v. 금지하다, 방해하다
693	neglect	[nɪˈglekt]	v. 소홀히 하다, 경시하다; n. 태만, 경시
694	autonomy	[ɔːˈtɒn.ə.mi]	n. 자율성
695	sneak	[sniːk]	v. 살금살금 가다, 몰래 하다
696	inspect	[ɪnˈspekt]	v. 조사하다, 검사하다
697	immense	[ɪˈmens]	a. 거대한, 엄청난, 막대한
698	struggle	[ˈstrʌg.əl]	v. 고군분투하다 n. 투쟁, 싸움, 노력
699	eternal	[ɪˈtɜː.nəl]	a. 끝의, 밖의, 영구적인
700	peer	[pɪər]	n. 동료, 또래 친구
701	homicide	[ˈhɒm.ɪ.saɪd]	n. 살인
702	obesity	[əʊˈbiː.sə.ti]	n. 비만
703	restore	[rɪˈstɔːr]	v. 회복시키다, 복구하다
704	reinforce	[ˌriː.ɪnˈfɔːs]	v. 강화하다
705	timely	[ˈtaɪm.li]	a. 적시의, 시기 적절한
706	dismiss	[dɪˈsmɪs]	v. 해고하다, 무시하다; 일축하다, 해산시키다
707	reluctant	[rɪˈlʌk.tənt]	a. 싫어하는, 꺼리는
708	condense	[kənˈdens]	v. 압축하다; 액화되다, 고체화되다
709	defect	[ˈdiː.fekt]	n. 결점, 결함, 결핍
710	swift	[swɪft]	a. 신속한, 빠른
711	dispose of		p. ~을 처리하다, ~을 없애다
712	approve of		p. ~을 인정하다, ~을 괜찮다고 생각하다
713	vulnerable to N		p. ~에 취약한
714	avail oneself of		p. ~을 이용하다
715	correlated with		p. ~과 서로 관련된
716	fall into place		p. 제자리를 찾다, 아귀가 맞다
717	insofar as		p. ~하는 한은, ~하는 정도까지는
718	hit the books		p. 열심히 공부하다, 열공하다
719	set in one's way		p. 자기 방식이 몸에 밴
720	have something to do with		p. ~와 관계가 있다

번호	영어	한글	글자수
1	stance		
2	reluctant		
3	peer		
4	neglect		
5	struggle		
6	hit the books		
7	autonomy		
8	correlated with		
9	have something to do with		
10	inspect		
11	correspond		
12	swift		
13	homicide		
14	set in one's way		
15	implement		
16	inflow		
17	encyclopedia		
18	dispose of		
19	temperate		
20	vulnerable to N		

번호	한글	영어	글자수
21	v. 강화하다	r	9
22	v. 압축하다; 액화되다, 고체화되다	c	8
23	v. 해고하다, 무시하다; 일축하다, 해산시키다	d	7
24	a. 적시의, 시기 적절한	t	6
25	p. ~을 인정하다, ~을 괜찮다고 생각하다	a	9 (p.)
26	p. 제자리를 찾다, 아귀가 맞다	f	13 (p.)
27	n. 부동산	r	6
28	n. 많은 사람들이 알고 있는 사람, 명성	p	10
29	n. 연금술, 신비한 힘, 마력	a	7
30	v. 깨다, 갈라지다; (사건·암호 등을) 풀다	c	5
31	n. 결점, 결함, 결핍	d	6
32	p. ~을 이용하다	a	14 (p.)
33	n. 직관, 직관력, 통찰력	i	9
34	n. 비만	o	7
35	p. ~하는 한은, ~하는 정도까지는	i	9 (p.)
36	v. 회복시키다, 복구하다	r	7
37	v. 살금살금 가다, 몰래 하다	s	5
38	a. 거대한, 엄청난, 막대한	i	7
39	a. 끝의, 밖의, 영구적인	e	7
40	v. 금지하다, 방해하다	f	6

번호	영어	한글	글자수
1	irrational		
2	compress		
3	nod		
4	inhibit		
5	burglar		
6	sewage		
7	causal		
8	quotation		
9	tuition		
10	enter into		
11	mandatory		
12	surplus		
13	ignoble		
14	immune to N		
15	favoritism		
16	devastate		
17	foe		
18	retrospect		
19	stout		
20	fortify		

번호	한글	영어	글자수
21	n. 국회, 입법부	p	10
22	n. 미신, 미신적 행위	s	12
23	p. 이를 위해, 그 목적을 달성하기 위하여	t	9 (p.)
24	v. 추론하다; 암시하다	i	5
25	v. 꾀다, 유혹하다	l	4
26	n. 연소, 산화, 불에 탐	c	10
27	a. 습한, 습기가 있는	h	5
28	v. (살면서) 지배하다	d	8
29	p. ~한 가격으로	a	9 (p.)
30	p. ~을 의식하다, ~을 알고 있다	b	13 (p.)
31	v. 반으로 줄다, 이등분하다	h	5
32	v. 줄이다, 낮추다	r	6
33	v. 압축하다, 죄다	c	9
34	p. ~의 의지에 반하여 행동하다	a	19 (p.)
35	a. 적격의, 자격이 있는	e	8
36	p. 어떠한 경우에도	i	9 (p.)
37	a. 전멸한, 멸종한	e	7
38	a. 글을 모르는, 문맹의	i	10
39	v. 기르다, 함양하다, 재배하다; 계발하다	c	9
40	v. 바느질하다; 바늘땀, 코, 바느질	s	6

Day 19.

721	contribution	[ˌkɒn.trɪˈbjuː.ʃən]	n. 기부, 기여, 공헌; 원인제공
722	thrust	[θrʌst]	v. 세게 밀다; 찌르다
723	injure	[ˈɪn.dʒər]	v. 상처 입히다, 다치게 하다
724	endeavor	[enˈdev.ɚ]	v. 노력 v. 노력하다, 애쓰다
725	incorporate	[ɪnˈkɔː.pər.eɪt]	v. ~을 법인으로 만들다; 합병하다; 포함하다
726	bribe	[braɪb]	n. 뇌물 v. 뇌물을 주다; 매수하다
727	constitution	[ˌkɒn.stɪˈtʃuː.ʃən]	n. 구성, 구조; 헌법
728	confidential	[ˌkɒn.fɪˈden.ʃəl]	a. 은밀한, 내밀한, 기밀의
729	profess	[prəˈfes]	v. 주장하다, 공언하다; ~인 체하다
730	withdraw	[wɪðˈdrɔː]	n. 철회
731	ascribe	[əˈskraɪb]	v. 가까이 쓰다; ~탓으로 돌리다
732	costly	[ˈkɒst.li]	a. 대가가 큰, 비용이 많이 드는
733	invaluable	[invæljuəbl]	a. 매우 귀중한
734	inherent	[ɪnˈher.ənt]	a. 선천적인, 고유의, 내재하는
735	scheme	[skiːm]	n. 계획, 책략; v. 책략을 꾸미다
736	misuse	[mìsjúːs]	v. 잘못 사용하다, 학대하다, 실패하다, 유산하다
737	recognize	[ˈrek.əg.naɪz]	v. 알아보다, 식별하다; 인정하다
738	column	[ˈkɒl.əm]	n. 기둥; 기념비; (신문) 칼럼
739	criterion	[kraɪˈtɪə.ri.ən]	n. 기준
740	abstract	[ˈæb.strækt]	a. 추상적인, 관념적인 n. 개요
741	proficient	[prəˈfɪʃ.ənt]	a. 숙달된, 능숙한
742	flatter	[ˈflæt.ər]	v. 아첨하다, 추켜세우다
743	expel	[ɪkˈspel]	v. 추방하다, 쫓아내다
744	moan	[məʊn]	n. 신음 v. 신음하다
745	impartial	[ɪmˈpɑː.ʃəl]	a. 공평한, 편견 없는
746	obsess	[əbˈses]	v. (마음을) 사로잡다, ~에 집착하게 하다
747	displease	[dɪˈspliːz]	v. 불만스럽게 하다, 불쾌하게 만들다
748	gasp	[gæsp]	v. 헐떡거리다, 숨이 막히다
749	conserve	[kənˈsɜːv]	v. 보존하다, 보호하다
750	tragic	[ˈtrædʒ.ɪk]	a. 비극적인
751	have difficulty in -ing		p. ~하는데 어려움을 겪다
752	adjust A around B		p. A를 B 중심으로[B에 맞춰] 조절하다
753	at an early age		p. 일찍이, 어린 나이에
754	against the laws		p. 불법인, 법에 저촉되는
755	fit in with		p. ~에 잘 들어맞다, 적합하다
756	given that		p. ~이라는 것을 고려하면
757	hand in		p. 제출하다
758	be founded on		p. ~에 기초하다
759	be scared of		p. ~을 두려워하다, ~을 경외하다
760	in contact with		p. ~와 연락하여; ~와 접촉하여

번호	영어	한글	글자수
1	impartial		
2	be founded on		
3	expel		
4	against the laws		
5	column		
6	recognize		
7	be scared of		
8	thrust		
9	gasp		
10	adjust A around B		
11	conserve		
12	endeavor		
13	scheme		
14	proficient		
15	incorporate		
16	invaluable		
17	displease		
18	bribe		
19	moan		
20	injure		

번호	영어	한글	글자수

번호	한글	영어	글자수
21	n. 철회	w	8
22	p. 일찍이, 어린 나이에	a	12 (p.)
23	n. 기부, 기여, 공헌; 원인제공	c	12
24	v. 주장하다, 공언하다; ~인 체하다	p	7
25	p. ~와 연락하여; ~와 접촉하여	i	13 (p.)
26	a. 비극적인	t	6
27	a. 대가가 큰, 비용이 많이 드는	c	6
28	p. 제출하다	h	6 (p.)
29	a. 선천적인, 고유의, 내재하는	i	8
30	v. 가까이 쓰다; ~탓으로 돌리다	a	7
31	v. (마음을) 사로잡다, ~에 집착하게 하다	o	6
32	n. 기준	c	9
33	n. 구성, 구조; 헌법	c	12
34	p. ~에 잘 들어맞다, 적합하다	f	9 (p.)
35	p. ~이라는 것을 고려하면	g	9 (p.)
36	v. 잘못 사용하다, 학대하다, 실패하다, 유산하다	m	6
37	v. 아첨하다, 추켜세우다	f	7
38	a. 추상적인, 관념적인 n. 개요	a	8
39	p. ~하는데 어려움을 겪다	h	20 (p.)
40	a. 은밀한, 내밀한, 기밀의	c	12

번호	영어	한글	글자수
1	stain		
2	confine		
3	starve		
4	thorn		
5	vulnerable to N		
6	attract A to B		
7	manipulate		
8	come across		
9	excuse oneself for		
10	a quantity of		
11	depict		
12	near at hand		
13	profit		
14	at a low price		
15	indebt		
16	ripe		
17	accurate		
18	convince		
19	deficit		
20	cold to N		

번호	한글	영어	글자수
21	p. A에게 B를 수여하다	h	12 (p.)
22	n. 깨달음	e	13
23	v. 믿음을 주다(믿고 맡기다)	e	7
24	n. 돛대, 마스트, 기둥	m	4
25	v. 주지 않다, 받지 않다, 억제하다	w	8
26	a. 유효한	v	5
27	n. 포식자, 약탈자, 육식동물	p	8
28	v. 기르다, 함양하다, 재배하다; 계발하다	c	9
29	a. 누적되는, 가중의	c	10
30	v. 번식하다; 새끼를 낳다; 사육하다, 재배하다	b	5
31	a. 우울한, 슬픈	m	10
32	p. A를 끌어내다	d	8 (p.)
33	n. 나루터, 나룻배, 연락선 v. 수송하다	f	5
34	v. 소홀히 하다, 경시하다; n. 태만, 경시	n	7
35	n. 생리학, 생리 (기능)	p	10
36	p. 붙잡고 있다, 기다리다, 고정시키다	h	6 (p.)
37	a. 우울한	g	6
38	v. 기르다, 양육하다	n	7
39	a. 초보의, 초급의, 기본적인	e	10
40	n. 제비; v. 삼키다	s	7

Day 20.

761	fertile	[ˈfɜː.taɪl]	a. 기름진, 비옥한
762	doom	[duːm]	n. 운명, 파멸, 죽음
763	occupy	[ˈɒk.jə.paɪ]	v. 차지하다, 점령하다
764	indicate	[ˈɪn.dɪ.keɪt]	v. 말로 가리키다, 나타내다, 암시하다
765	inhabit	[ɪnˈhæb.ɪt]	v. 살다, 서식하다
766	ruthless	[ˈruː.θləs]	a. 무자비한, 냉정한
767	desperate	[ˈdes.pər.ət]	a. 절망적인, 자포자기의, 무모한; 필사적인
768	assure	[əˈʃúər]	v. 확신시키다, 보장하다
769	legitimate	[ləˈdʒɪt.ə.mət]	a. 합법의, 적법의
770	publicity	[pʌbˈlɪs.ə.ti]	n. 홍보, 공표, 평판, 널리 알려짐
771	embrace	[ɪmˈbreɪs]	v. 껴안다, 받아들이다
772	mature	[məˈtʃʊər]	a. 성숙한, 신중한
773	determine	[dɪˈtɜː.mɪn]	v. 결정하다, 측정하다, 판정하다
774	advent	[ˈæd.vent]	n. 등장, 출현
775	segment	[ˈseg.mənt]	n. 부분, 조각 v. 분할하다
776	obtain	[əbˈteɪn]	v. 얻다, 획득하다
777	nominate	[ˈnɒm.ɪ.neɪt]	v. 임명하다, 공천하다
778	vicious	[víʃəs]	a. 잔인한, 사악한
779	appropriate	[əˈprəʊ.pri.ət]	a. 적당한, 타당한
780	conceal	[kənˈsiːl]	v. 숨기다
781	fascinate	[ˈfæs.ən.eɪt]	v. 매료하다, 매혹시키다
782	insulate	[ˈɪn.sjə.leɪt]	v. 단열 처리를 하다, 방음 처리를 하다
783	reap	[riːp]	v. 수확하다
784	manifest	[ˈmæn.ɪ.fest]	n. 화물 목록; a. 명백한; v. 분명히 나타내다
785	crawl	[krɔːl]	v. 기어가다
786	imply	[ɪmˈplaɪ]	v. 내포하다, 넌지시 나타내다, 암시하다
787	deed	[diːd]	n. 행동, 행위, 사실, 실행; 권리증서
788	mutual	[ˈmjuː.tʃu.əl]	a. 상호간의, 서로의, 공통의
789	illuminate	[ɪˈluː.mɪ.neɪt]	v. 빛을 비추다, 밝히다
790	hereby	[ˌhɪəˈbaɪ]	adv. 이에 의하여, 이로써
791	cut from the same cloth		p. 같은 부류인
792	in the mood for		p. ~하고 싶은, ~에 마음이 내켜서
793	go with		p. (계획, 제의 등을) 받아들이다 / 어울리다
794	catch oneself		p. 하던 말(일)을 갑자기 멈추다
795	blow away		p. 날려버리다; ~을 감동시키다
796	free from		p. ~에서 벗어난
797	couple A with B		p. A와 B를 결부시키다
798	a great deal of		p. 많은, 다량의
799	in partnership with		p. ~와 제휴하여, 협력하여
800	call off		p. 취소하다, 중지하다

번호	영어	한글	글자수
1	publicity		
2	nominate		
3	in partnership with		
4	inhabit		
5	doom		
6	embrace		
7	fertile		
8	desperate		
9	illuminate		
10	reap		
11	advent		
12	conceal		
13	crawl		
14	free from		
15	fascinate		
16	go with		
17	call off		
18	occupy		
19	manifest		
20	segment		

Day 20 TEST

번호	한글	영어	글자수
21	p. 많은, 다량의	a	12 (p.)
22	a. 잔인한, 사악한	v	7
23	a. 성숙한, 신중한	m	6
24	p. 같은 부류인	c	19 (p.)
25	v. 내포하다, 넌지시 나타내다, 암시하다	i	5
26	p. 날려버리다; ~을 감동시키다	b	8 (p.)
27	a. 적당한, 타당한	a	11
28	v. 얻다, 획득하다	o	6
29	p. A와 B를 결부시키다	c	12 (p.)
30	v. 말로 가리키다, 나타내다, 암시하다	i	8
31	a. 무자비한, 냉정한	r	8
32	a. 합법의, 적법의	l	10
33	n. 행동, 행위, 사실, 실행; 권리증서	d	4
34	p. 하던 말(일)을 갑자기 멈추다	c	12 (p.)
35	a. 상호간의, 서로의, 공통의	m	6
36	v. 확신시키다, 보장하다	a	6
37	v. 결정하다, 측정하다, 판정하다	d	9
38	p. ~하고 싶은, ~에 마음이 내켜서	i	12 (p.)
39	v. 단열 처리를 하다, 방음 처리를 하다	i	8
40	adv. 이에 의하여, 이로써	h	6

번호	영어	한글	글자수
1	in the mood for		
2	misery		
3	punctuate		
4	smear		
5	beloved		
6	advent		
7	all the more		
8	ritual		
9	prefer A to B		
10	be founded on		
11	untapped		
12	permit		
13	fall away		
14	shred		
15	allow for		
16	neural		
17	thermal		
18	endeavor		
19	competent		
20	have a point		

번호	한글	영어	글자수
21	v. 예상하다, 기대하다	a	10
22	n. 정상, 산꼭대기 a. 정상회담의	s	6
23	a. 글을 모르는, 문맹의	i	10
24	a. 무자비한, 냉정한	r	8
25	a. 하위의 ; 부차적인, 부수적인; n. 부하	s	11
26	p. 열심히 공부하다, 열공하다	h	11 (p.)
27	v. 악보로 표시하다; 기록하다, 적어두다	n	6
28	v. 강요하다, ~하게 하다	c	6
29	n. 공동묘지	c	8
30	n. 놀라운 일 v. 놀라다	m	6
31	a. 연속적인, 계속적인, 일관된	c	11
32	v. ~을 제한하다, 금지하다, 한정하다	r	8
33	n. 급함, 서두름; v. 서두르다	h	5
34	a. 의미 심장한, 중요한, 상당한	s	11
35	n. 보도, 방송, 보급	c	8
36	p. ~의 영향을 받지 않는	i	9 (p.)
37	n. 연금술, 신비한 힘, 마력	a	7
38	n. 향기, 냄새	s	5
39	v. (돈 , 시간, 노력 등을) 쏟다, 들이다	e	6
40	n. 적, 원수	f	3

Day 21.

801	distribute	[dɪˈstrɪb.juːt]	v. 분배하다, 배포하다, 분류 배치하다
802	genuine	[ˈdʒen.ju.ɪn]	a. 진짜의; 진실된
803	cosmopolitan	[ˌkɒz.məˈpɒl.ɪ.tən]	a. 세계적인, 국제적인
804	polish	[ˈpɒl.ɪʃ]	v. 닦다, 윤내다 n. 광택제
805	overtake	[ˌəʊ.vəˈteɪk]	v. 따라잡다, 앞지르다
806	plural	[ˈplʊə.rəl]	n. 복수 a. 여러 개의
807	sacrifice	[ˈsæk.rɪ.faɪs]	n. 희생; 제물 v. 희생하다, 바치다
808	critical	[ˈkrɪt.ɪ.kəl]	a. 위태로운, 위험한, 비판적인; 중요한
809	outdo	[ˌaʊtˈduː]	v. ~을 능가하다
810	pathetic	[pəˈθet.ɪk]	a. 한심한, 형편없는; 애처로운
811	enchant	[ɪnˈtʃɑːnt]	v. 매혹하다, 황홀하게 하다
812	enlist	[ɪnˈlɪst]	v. 도움을 요청하다; 입대하다
813	eccentric	[ɪkˈsen.trɪk]	a. 괴짜인, 별난
814	resolve	[rɪˈzɒlv]	v. 결심하다; 해결하다
815	discharge	[dɪsˈtʃɑːdʒ]	v. 해임하다, 내보내다, 방출하다; 이행하다
816	execute	[ˈek.sɪ.kjuːt]	v. 처형하다; 실행하다
817	requisite	[ˈrek.wɪ.zɪt]	n. 필수품 a. 필요한
818	embarrass	[ɪmˈbær.əs]	v. 울타리로 가로 막다, 난처하다
819	undertake	[ˌʌn.dəˈteɪk]	v. 떠맡다, 책임을 지다; 약속하다; 시작하다
820	fury	[ˈfjʊə.ri]	n. 격노, 격한 분노
821	aesthetic	[esθétik]	a. 심미적, 미학적, 미적인
822	heritage	[ˈher.ɪ.tɪdʒ]	n. 전통문화(유산)
823	discipline	[ˈdɪs.ə.plɪn]	n. 규율, 통제, 학문, 기강, 훈련
824	lessen	[lésn]	v. 줄이다
825	fragile	[frǽdʒəl]	a. 부서지기 쉬운, 깨지기 쉬운; 허약한
826	assemble	[əˈsem.bəl]	v. 더욱 (목적이) 동일하다, 모으다 n. 조립
827	grief	[griːf]	n. 큰 슬픔
828	deplete	[dɪˈpliːt]	v. 고갈시키다, 소모시키다
829	tyrant	[ˈtaɪə.rənt]	n. 폭군, 독재자
830	sustain	[səˈsteɪn]	v. 유지하다; 부상을 입다; 지지하다; 부양하다
831	persist in		p. 고집하다
832	so long as		p. ~하기만 하면
833	strike a deal		p. 계약을 맺다
834	by now		p. 이제는, 이미
835	go along with		p. ~에 동조하다, 찬성하다
836	in the way		p. ~의 방식대로
837	draw on		p. 그림을 그리다; ~에 의존하다
838	do one's part in		p. ~에서 자신의 몫을 다하다
839	set out		p. 출발하다
840	in case of		p. ~의 경우에는

Day 21 TEST

번호	영어	한글	글자수
1	requisite		
2	polish		
3	cosmopolitan		
4	embarrass		
5	in the way		
6	eccentric		
7	so long as		
8	pathetic		
9	plural		
10	set out		
11	lessen		
12	critical		
13	genuine		
14	do one's part in		
15	grief		
16	sacrifice		
17	distribute		
18	aesthetic		
19	sustain		
20	resolve		

번호	영어	한글	글자수

번호	한글	영어	글자수
21	n. 폭군, 독재자	t	6
22	p. 이제는, 이미	b	5 (p.)
23	v. 따라잡다, 앞지르다	o	8
24	n. 규율, 통제, 학문, 기강, 훈련	d	10
25	n. 격노, 격한 분노	f	4
26	v. 더욱 (목적이) 동일하다, 모으다 n. 조립	a	8
27	v. 고갈시키다, 소모시키다	d	7
28	p. ~에 동조하다, 찬성하다	g	11 (p.)
29	v. 해임하다, 내보내다, 방출하다; 이행하다	d	9
30	p. 고집하다	p	9 (p.)
31	n. 전통문화(유산)	h	8
32	v. 매혹하다, 황홀하게 하다	e	7
33	v. 떠맡다, 책임을 지다; 약속하다; 시작하다	u	9
34	v. 도움을 요청하다; 입대하다	e	6
35	p. 그림을 그리다; ~에 의존하다	d	6 (p.)
36	p. 계약을 맺다	s	11 (p.)
37	v. ~을 능가하다	o	5
38	v. 처형하다; 실행하다	e	7
39	a. 부서지기 쉬운, 깨지기 쉬운; 허약한	f	7
40	p. ~의 경우에는	i	8 (p.)

번호	영어	한글	글자수
1	prefer A to B		
2	enlightenment		
3	segment		
4	drown		
5	in a series		
6	attribute		
7	adolescent		
8	invaluable		
9	be attached to		
10	appear to do		
11	comprise		
12	fascinate		
13	epidemic		
14	in an effort to do		
15	compost		
16	sob		
17	indulge		
18	under consideration		
19	mischance		
20	have a problem with		

번호	한글	영어	글자수
21	v. (명령, 요구 등에) 따르다, 준수하다	c	6
22	a. 주목할 만한	n	7
23	n. 도구; v. 실행하다, 시행하다	i	9
24	p. ~을 두려워하다, ~을 경외하다	b	10 (p.)
25	v. 동면하다	h	9
26	v. 망치다, 파산시키다; 파산, 붕괴	r	4
27	a. 마실 수 있는	p	7
28	a. 확실한, 확고한, 분명한	d	8
29	v. 주장하다; 요구하다	i	6
30	a. 괴짜인, 별난	e	9
31	n. 불면증	i	8
32	p. 인도하다, 넘기다	h	8 (p.)
33	v. 경감시키다, 완화시키다	r	7
34	p. ~을 (붙)잡다	c	11 (p.)
35	p. 시작하다, [계약 따위를] 맺다	e	9 (p.)
36	v. ~을 야단치다, 비난하다	r	7
37	a. 기운이 없는, 다리를 절다, 절뚝거림	l	4
38	p. ~에 잘 들어맞다, 적합하다	f	9 (p.)
39	p. 때때로	a	7 (p.)
40	a. 익은, 숙성한	r	4

Day 22.

841	utter	[ˈʌt.ər]	a. 극단적인 v. 밖으로 소리를 내다
842	testify	[ˈtes.tɪ.faɪ]	v. 증언하다, 진술하다
843	primary	[ˈpraɪ.mər.i]	a. 제1의, 주요한, 최초의, 주된
844	defeat	[dɪˈfiːt]	v. 패배시키다, 좌절시키다
845	proclaim	[prəˈkleɪm]	v. 선언하다, 공표하다
846	commemorate	[kəˈmem.ə.reɪt]	v. 기념하다, 기념식을 거행하다
847	exterminate	[ikstə́ːrmənèit]	v. 근절하다, 박멸하다
848	liken	[ˈlaɪ.kən]	v. ~에 비유하다, 견주다
849	verdict	[ˈvɜː.dɪkt]	n. 판결, 평결
850	defiance	[dɪˈfaɪ.əns]	n. 믿음을 무너뜨리는 것, 반항
851	submerge	[səbˈmɜːdʒ]	v. 물 속에 잠기다, 가라앉히다
852	bury	[ˈber.i]	v. 파묻다, 매장하다
853	insure	[ɪnˈʃɔːr]	v. 보험에 들다
854	altitude	[ˈæl.tɪ.tʃuːd]	n. 높이, 고도, 해발
855	admiral	[ˈæd.mər.əl]	n. 해군대장, 제독
856	oppress	[əˈpres]	v. 억압하다
857	mortgage	[ˈmɔː.gɪdʒ]	n. 저당물, 담보, 보증
858	engage	[ɪnˈgeɪdʒ]	v. 약속하다, 참가하다; 사용하다; 고용하다
859	raid	[reɪd]	n. 습격, 급습; v. 급습하다
860	disinterested	[dɪˈsɪn.trə.stɪd]	a. 사욕이 없는, 공평한, 흥미가 없는
861	detach	[dɪˈtætʃ]	v. 말뚝을 뽑다, 분리하다, 파견하다
862	folklore	[ˈfəʊk.lɔːr]	n. 민속, 전통문화
863	hostility	[hɒsˈtɪl.ə.ti]	n. 적개심
864	undermine	[ˌʌn.dəˈmaɪn]	v. 밑을 파다; 훼손시키다, 손상시키다, 약화시키다
865	query	[kwíəri]	v. 질문하다; n. 질문, 의문
866	distort	[dɪˈstɔːt]	v. 왜곡하다; 바꾸다, 비틀다
867	mimic	[ˈmɪm.ɪk]	v. 흉내내다
868	regress	[rɪˈgres]	v. 되돌아가다, 퇴행하다, 퇴보하다
869	mash	[mæʃ]	n. 사료, 으깬 음식 v. 으깨다
870	gracious	[ˈɡreɪ.ʃəs]	a. 우아한, 품위 있는
871	inherit from		p. ~에서 물려받다
872	opposite to N		p. ~과 반대의
873	cease to do		p. ~이 아니게 되다
874	be obligated to do		p. 의무적으로 ~해야 하다
875	as it were		p. 소위, 말하자면
876	at the heart of		p. ~의 중심에
877	on one's feet		p. 독자적으로
878	in one's interest		p. 가장 이익이 되는
879	at peace		p. 평화롭게; 안심하고; 의좋게; 죽어서
880	away from		p. ~로부터 떨어져

번호	영어	한글	글자수
1	testify		
2	regress		
3	disinterested		
4	undermine		
5	commemorate		
6	primary		
7	insure		
8	be obligated to do		
9	defiance		
10	at peace		
11	mash		
12	engage		
13	gracious		
14	bury		
15	at the heart of		
16	detach		
17	distort		
18	cease to do		
19	utter		
20	altitude		

번호	한글	영어	글자수
21	a. 팽팽한, 긴장한, 절박한; n. 시제	p	8
22	p. 서서히 사라지다	h	9
23	a. 무모한, 신중하지 못한	v	7
24	n. 국회, 입법부	r	4
25	p. ~을 처리하다, ~을 없애다	e	11
26	p. ~에 잘 들어맞다, 적합하다	d	6
27	a. 온화한, 온난한; 온건한, 도를 넘지 않는	o	11 (p.)
28	p. ~에 호의적이다	i	15 (p.)
29	v. 손상시키다	l	5
30	v. (결과·이익 등을) 내다, 생산하다; 항복하다	f	8
31	p. ~을 목표로 하다	o	7
32	n. 철회	q	5
33	a. 말의, 문자 그대로의	a	7
34	v. (노력·돈·시간 따위를) 들이다, 바치다	a	8 (p.)
35	a. 달의, 음력의	m	8
36	v. 끄덕이다, (고개를) 까딱하다	a	8 (p.)
37	p. 많은, 다량의	o	11 (p.)
38	n. 잠재력 a. 잠재력이 있는, 가능성이 있는	s	8
39	p. 차례로	m	5
40	v. ~탓으로 돌리다; n. 속성, 성질	i	11 (p.)

번호	영어	한글	글자수
1	relieve		
2	shred		
3	resemble		
4	velocity		
5	inflow		
6	engage		
7	anticipate		
8	hardwire		
9	disorder		
10	ritual		
11	reduce		
12	coverage		
13	approximate		
14	away from		
15	immense		
16	compact		
17	stride		
18	work out		
19	wither		
20	fragile		

번호	한글	영어	글자수
21	n. 공문서; 외교	d	9
22	p. ~가 한창일 때	a	13 (p.)
23	p. ~에도 불구하고, ~에 직면하여	i	11 (p.)
24	p. 많은, 다량의	a	11 (p.)
25	v. 강조하다, 두드러지게 하다	a	10
26	a. 근본적인, 기본적인; 중요한, 필수의	f	11
27	v. 강화하다, 요새화하다	f	7
28	a. 의미 심장한, 중요한, 상당한	s	11
29	a. 이국풍의, 색다른, 이상한, 기이한	o	10
30	p. B보다 A를 더 선호하다	p	10 (p.)
31	n. 포식자, 약탈자, 육식동물	p	8
32	v. 압축하다, 꽉 누르다	c	8
33	n. 운명, 숙명	f	4
34	p. ~을 구조하러 오다	c	17 (p.)
35	p. ~에 적응하다	a	8 (p.)
36	a. 전체의, 건강에 좋은, 건전한	w	9
37	n. 비만	o	7
38	p. 일어나다, 생기다	c	9 (p.)
39	p. 낮은 가격으로	a	11 (p.)
40	v. 거주하다, 살다	r	6

번호	한글	영어	글자수

Day 23.

881	hostage	[ˈhɒs.tɪdʒ]	n. 담보물, 인질
882	optical	[ɑ́ptikəl]	a. 눈의, 시각의; 빛을 이용하는
883	interface	[iˈntərfeiˌs]	n. 경계면 v. 조정하다; 접촉하다, 접속하다
884	associate	[əˈsəʊ.si.eɪt]	v. 관련시키다; 교제하다 n. 동료, 친구
885	allot	[əˈlɒt]	v. 할당하다, 배당하다
886	sacred	[ˈseɪ.krɪd]	a. 신성한; 종교적인
887	fulfill	[fʊlˈfɪl]	v. 다하다, 이행하다, 충족하다
888	ban	[bæn]	v. 명령으로 금지하다
889	apparent	[əˈpær.ənt]	a. 또렷한, 명백한, 외견상의, 겉보기에는
890	prosper	[ˈprɒs.pər]	v. 번영하다, 성공하다
891	barometer	[bəˈrɒm.ɪ.tər]	n. 기압계
892	resist	[rɪˈzɪst]	v. 반대하다; 견디다, 참다, 저항하다
893	affair	[əˈfeər]	n. 활동; 업무; 사건, 스캔들; 불륜, 정사
894	undo	[ʌnˈduː]	v. 풀다, 열다; 망치다; 원상태로 되돌리다
895	pregnant	[ˈpreg.nənt]	a. 임신한; 내포한, 의미 심장한; 풍요한, 충만한
896	drain	[dreɪn]	v. 배수하다, 물을 빼나다
897	obscure	[əbˈskjʊər]	a. 어두운, 분명치 않은
898	verify	[ˈver.ɪ.faɪ]	v. 대조확인하다, 입증하다, 증명하다, 검증하다
899	steer	[stɪər]	v. 키를 잡다, 조종하다; 이끌다, 나아가게 하다
900	chronic	[ˈkrɒn.ɪk]	a. 만성의, 시간의
901	revalidate	[ˌriːˈvæl.ɪ.deɪt]	v. 갱신하다, 재허가하다, 재확인하다
902	vessel	[ˈves.əl]	n. 선박; 혈관; 용기
903	commence	[kəˈmens]	v. 시작하다, 시작되다, 개시하다; 학위를 받다
904	seizure	[síːʒər]	n. 몰수, 장악; 발작, 경련
905	irritate	[ˈɪr.ɪ.teɪt]	v. 짜증나게 하다; (피부 등을) 자극하다
906	sumptuous	[ˈsʌmp.tʃu.əs]	a. 호화로운, 값비싼
907	compatible	[kəmˈpæt.ə.bəl]	a. 양립할 수 있는, 조화되는; 호환되는
908	malnutrition	[ˌmæl.njuːˈtrɪʃ.ən]	n. 영양 부족, 영양 실조
909	encounter	[ɪnˈkaʊn.tər]	v. 우연히 만나다
910	admit	[ədˈmɪt]	v. 시인하다, 인정하다; 입학을 허가하다
911	refer to N		p. ~에 돌리다; 회부하다; 언급하다
912	in consultation with		p. ~와 협의하여
913	deprive A of B		p. A에게서 B를 빼앗다
914	as to		p. ~에 대한
915	get A out of the way		p. (더는 문제가 되지 않도록) A를 치우다
916	back out		p. 물러나다, (하기로 했던 일에서) 빠지다
917	clean out		p. 깨끗이 치우다
918	cut off		p. 잘라버리다; 서둘러 떠나다
919	give a hand		p. 도와주다
920	come up with		p. ~을 떠올리다, ~을 생각해 내다

번호	영어	한글	글자수
1	affair		
2	interface		
3	cut off		
4	encounter		
5	seizure		
6	revalidate		
7	back out		
8	steer		
9	come up with		
10	give a hand		
11	apparent		
12	pregnant		
13	as to		
14	vessel		
15	undo		
16	commence		
17	in consultation with		
18	sacred		
19	allot		
20	irritate		

번호	한글	영어	글자수
21	n. 담보물, 인질	h	7
22	v. 다하다, 이행하다, 충족하다	f	7
23	n. 기압계	b	9
24	v. 반대하다; 견디다, 참다, 저항하다	r	6
25	a. 눈의, 시각의; 빛을 이용하는	o	7
26	p. 깨끗이 치우다	c	8 (p.)
27	a. 양립할 수 있는, 조화되는; 호환되는	c	10
28	v. 시인하다, 인정하다; 입학을 허가하다	a	5
29	v. 번영하다, 성공하다	p	7
30	p. A에게서 B를 빼앗다	d	11 (p.)
31	p. (더는 문제가 되지 않도록) A를 치우다	g	15 (p.)
32	v. 배수하다, 물을 빼나다	d	5
33	v. 대조확인하다, 입증하다, 증명하다, 검증하다	v	6
34	p. ~에 돌리다; 회부하다; 언급하다	r	8 (p.)
35	v. 관련시키다; 교제하다 n. 동료, 친구	a	9
36	a. 만성의, 시간의	c	7
37	a. 호화로운, 값비싼	s	9
38	a. 어두운, 분명치 않은	o	7
39	v. 명령으로 금지하다	b	3
40	n. 영양 부족, 영양 실조	m	12

번호	영어	한글	글자수
1	confuse A with B		
2	fortify		
3	restore		
4	congress		
5	in the air		
6	take A for granted		
7	obstruct		
8	exotic		
9	compound		
10	cope with		
11	metabolic		
12	deduction		
13	pendulum		
14	bygone		
15	lure		
16	assure		
17	raid		
18	condense		
19	reservoir		
20	inspect		

번호	영어	한글	글자수

번호	한글	영어	글자수
21	v. 대조확인하다, 입증하다, 증명하다, 검증하다	v	6
22	v. 산산이 부수다; n. 파편	s	7
23	v. 항의(하다)	p	7
24	v. 잡다; 파악하다, 이해하다	g	5
25	v. 굶주리다, 굶어 죽다, 굶기다, 굶겨 죽이다	s	6
26	p. A와 B를 통합시키다	i	15 (p.)
27	v. 행하다, 지휘하다, 안내하다; 지휘, 지도, 행위	c	7
28	v. 경감시키다, 완화시키다	r	7
29	p. ~을 따라 이름 짓다	c	9 (p.)
30	p. 침입하다	b	7 (p.)
31	v. 깨다, 갈라지다; (사건·암호 등을) 풀다	c	5
32	n. 사랑, 박애, 관용; 자선(행위), 자선(단체)	c	7
33	v. 빼다, 감하다	s	8
34	v. 결심하다; 해결하다	r	7
35	p. ~과 반대의	o	11 (p.)
36	p. 붙잡고 있다, 기다리다, 고정시키다	h	6 (p.)
37	v. 묘사하다, 서술하다	d	6
38	v. 존경하다	a	5
39	v. 거꾸로 하다	r	7
40	v. 불만스럽게 하다, 불쾌하게 만들다	d	9

Day 24.

921	enact	[ɪˈnækt]	v. (법률을) 제정하다, 규정하다
922	catholic	[kǽθəlik]	a. 천주교의, 보편적인 n. 천주교도
923	fabulous	[ˈfæb.jə.ləs]	a. 멋진, 굉장한
924	weird	[wɪəd]	a. 기이한, 기묘한
925	exclusive	[ɪkˈskluː.sɪv]	a. 독점적인, 전용의, 배타적인
926	legislate	[ˈledʒ.ɪ.sleɪt]	v. 법률을 제정하다
927	moral	[ˈmɒr.əl]	a. 도덕적인
928	prestige	[presˈtiːʒ]	n. 명성, 위신
929	tolerate	[ˈtɒl.ər.eɪt]	v. 용인하다, 너그럽게 보아주다
930	hospitality	[ˌhɒs.pɪˈtæl.ə.ti]	v. 환대, 후한 대접
931	monetary	[ˈmʌn.ɪ.tri]	a. 금전의, 금융의
932	violence	[ˈvaɪə.ləns]	n. 폭행, 폭력; 격렬함
933	propel	[prəˈpel]	v. 나아가게 하다, 추진하다
934	refuse	[rɪˈfjuːz]	v. 거절하다, 사절하다
935	meditate	[ˈmed.ɪ.teɪt]	v. 명상하다
936	fiery	[ˈfaɪə.ri]	a. 불의, 불같은, 화염의
937	disturb	[dɪˈstɜːb]	v. 방해하다, 어지럽히다
938	aptitude	[ˈæp.tɪ.tʃuːd]	n. 소질, 적성
939	suit	[suːt]	v. 적합하다 n. 정장; 소송
940	cruel	[ˈkruː.əl]	a. 잔혹한, 잔인한
941	spur	[spɜːr]	n. 박차, 자극 v. 원동력이 되다
942	exclaim	[ɪkˈskleɪm]	v. 외치다, 큰 소리로 말하다
943	dispatch	[dɪˈspætʃ]	v. 보내다, 파견하다, 급파하다; 죽이다, 해치우다
944	merchant	[ˈmɜː.tʃənt]	n. 상인, 무역상
945	cling	[klɪŋ]	v. 꼭 붙잡다, 매달리다; 달라붙다;애착을 갖다
946	fraction	[ˈfræk.ʃən]	n. 단편, 일부, 소량; 분수
947	perplex	[pəˈpleks]	v. 당황하게 하다
948	eliminate	[iˈlɪm.ɪ.neɪt]	v. 제거하다, 없애다
949	prominent	[ˈprɒm.ɪ.nənt]	a. 돌출한; 눈에 띄는, 탁월한
950	backfire	[ˌbækˈfaɪər]	v. 역효과가 나타나다
951	as we speak		p. 바로 지금, 이 순간에도
952	be prone to do		p. ~하기 쉬운
953	intent on		a. ~에 열중하고 있는
954	be subject to N		p. (특히 나쁜 영향을 받아) ~될 수 있는
955	bring about		p. 일으키다, 야기하다, 초래하다; 낳다
956	have a breakdown		p. 고장이 나다
957	come in handy		p. 쓸모가 있다, 도움이 되다
958	consistent with		p. ~와 일치하는
959	in decline		p. 쇠퇴하여, 기울어
960	go for		p. ~를 좋아하다, ~를 찾다

번호	영어	한글	글자수
1	in decline		
2	cruel		
3	dispatch		
4	bring about		
5	moral		
6	hospitality		
7	tolerate		
8	merchant		
9	intent on		
10	legislate		
11	be subject to N		
12	have a breakdown		
13	refuse		
14	enact		
15	fiery		
16	as we speak		
17	violence		
18	spur		
19	fraction		
20	weird		
번호	영어	한글	글자수

번호	한글	영어	글자수
21	p. ~와 일치하는	c	14 (p.)
22	p. ~를 좋아하다, ~를 찾다	g	5 (p.)
23	v. 방해하다, 어지럽히다	d	7
24	v. 당황하게 하다	p	7
25	a. 금전의, 금융의	m	8
26	a. 독점적인, 전용의, 배타적인	e	9
27	a. 천주교의, 보편적인 n. 천주교도	c	8
28	v. 외치다, 큰 소리로 말하다	e	7
29	v. 역효과가 나타나다	b	8
30	v. 나아가게 하다, 추진하다	p	6
31	p. 쓸모가 있다, 도움이 되다	c	11 (p.)
32	p. ~하기 쉬운	b	11 (p.)
33	v. 제거하다, 없애다	e	9
34	n. 명성, 위신	p	8
35	a. 멋진, 굉장한	f	8
36	n. 소질, 적성	a	8
37	v. 꼭 붙잡다, 매달리다; 달라붙다;애착을 갖다	c	5
38	v. 명상하다	m	8
39	v. 적합하다 n. 정장; 소송	s	4
40	a. 돌출한; 눈에 띄는, 탁월한	p	9

번호	영어	한글	글자수
1	timely		
2	thread		
3	misuse		
4	magnificent		
5	expend		
6	rub		
7	insomnia		
8	detach		
9	mob		
10	deadly		
11	duplicate		
12	committee		
13	intent on		
14	segment		
15	proportion		
16	defect		
17	back down		
18	in conclusion		
19	superb		
20	burglar		

번호	한글	영어	글자수
21	a. 무관심한, 사심이 없는	i	11
22	n. (시계의) 추, 진자	p	8
23	a. 중립의, 중간의; 감정이 드러나지 않는	n	7
24	a. 뒤쪽; 뒤쪽의; 기르다, 양육하다	r	4
25	p. ~을 (붙)잡다	c	11 (p.)
26	a. 위태로운, 위험한, 비판적인; 중요한	c	8
27	n. 10년	d	6
28	a. 의식 절차; 의식상의, 의례적인	r	6
29	v. 칭찬하다; 맡기다, 위탁하다	c	7
30	v. 해나가다, 추구하다	p	6
31	a. 지켜보는, 주의 깊은	w	8
32	p. 효과를 미치다	h	14 (p.)
33	n. 동료, 또래 친구	p	4
34	p. ~을 무서워하다	b	14 (p.)
35	p. 24시간 내내	a	14 (p.)
36	v. 바느질하다, 깁다; 만들다; 달다, 꿰매다	s	3
37	a. 통통한, 튼튼한; n. 흑맥주	s	5
38	a. 우아한, 품위 있는	g	8
39	p. A를 B와 혼동하다	c	13 (p.)
40	n. 착수, 시작	o	6

Day 25.

961	ascend	[əˈsend]	n. 오르다; 승진하다
962	perspiration	[ˌpɜːˈspərˈeɪ.ʃən]	n. 땀, 발한; 엄청난 노력
963	divert	[daɪˈvɜːt]	v. (방향을) 전환하다
964	factual	[ˈfæk.tʃu.əl]	a. 사실에 입각한, 사실적인
965	odor	[ˈoʊ·dər]	n. 냄새, 악취
966	grant	[grɑːnt]	v. 주다, 수여하다
967	successive	[səkˈses.ɪv]	a. 연속적인, 연이은
968	acknowledge	[əkˈnɒl.ɪdʒ]	v. 인정하다; 사례하다, 감사하다
969	numerous	[ˈnjuː.mə.rəs]	a. 많은
970	prone	[prəʊn]	a. 경향이 있는, ~하기 쉬운; 어드려 있는
971	armament	[ˈɑː.mə.mənt]	n. 장비, 병기
972	manufacture	[ˌmæn.jəˈfæk.tʃər]	v. 제조하다, 생산하다, 만들다 n. 제조, 생산
973	tumble	[ˈtʌm.bəl]	v. 휙 뒤집다 n. 곤두박질, 재주 넘기
974	vague	[veig]	a. 애매한, 막연한
975	accumulate	[əˈkjuː.mjə.leɪt]	v. 모으다, 축적하다, 누적시키다, 점차 늘어나다
976	impulse	[ímpʌls]	n. 충동, 자극
977	endure	[ɪnˈdʒʊər]	v. 지속하다, 견디다
978	fixate	[fɪkˈseɪt]	v. 정착(고정)시키다, 집착하다
979	tin	[tɪn]	n. 주석(원소기호 Sn), 통조림; (원통형) 통
980	omit	[əʊˈmɪt]	v. 생략하다, 빠뜨리다
981	monastery	[mɑ́nəstèri]	n. (남자) 수도원
982	calculate	[ˈkæl.kjə.leɪt]	v. 계산하다
983	shorthand	[ʃɔːˈrthæˌnd]	n. 속기, 약칭 v. 속기하다
984	ultraviolet	[ˌʌl.trəˈvaɪə.lət]	a. 자외선의
985	barren	[ˈbær.ən]	a. 불모의, 황량한
986	disrupt	[dɪsˈrʌpt]	v. 붕괴시키다, 분열시키다, 방해하다
987	inevitable	[ɪˈnev.ɪ.tə.bəl]	a. 불가피한, 부득이한, 필연적인
988	enroll	[ɪnˈroʊl]	v. 등록하다, 명부에 올리다, 가입하다
989	patron	[ˈpeɪ.trən]	n. 후원자; 고객, 단골
990	greed	[griːd]	n. 탐욕, 식탐
991	a majority of		p. 대다수의
992	bring A to a stop		p. A를 세우다, A를 정지시키다
993	jump to a conclusion		p. 성급하게 결론을 내리다
994	cup of tea		p. 선호하는 일, 기호[취미]에 맞는 일
995	by heart		p. 외워서
996	get a handle on		p. 이해하다, 알아듣다
997	keep up to date		p. 최신 정보를 계속 유지하다
998	go off		p. (알람·경보 등이) 울리다
999	half off		p. 반값 할인
1000	at most		p. 기껏해야

번호	영어	한글	글자수
1	tumble		
2	a majority of		
3	perspiration		
4	impulse		
5	monastery		
6	ascend		
7	omit		
8	prone		
9	tin		
10	vague		
11	cup of tea		
12	half off		
13	grant		
14	acknowledge		
15	armament		
16	ultraviolet		
17	inevitable		
18	manufacture		
19	by heart		
20	bring A to a stop		

번호	영어	한글	글자수

번호	한글	영어	글자수
21	v. 계산하다	c	9
22	n. 탐욕, 식탐	g	5
23	v. 등록하다, 명부에 올리다, 가입하다	e	6
24	n. 후원자; 고객, 단골	p	6
25	a. 불모의, 황량한	b	6
26	v. 붕괴시키다, 분열시키다, 방해하다	d	7
27	n. 냄새, 악취	o	4
28	p. (알람·경보 등이) 울리다	g	5 (p.)
29	v. (방향을) 전환하다	d	6
30	a. 사실에 입각한, 사실적인	f	7
31	p. 기껏해야	a	6 (p.)
32	v. 모으다, 축적하다, 누적시키다, 점차 늘어나다	a	10
33	v. 지속하다, 견디다	e	6
34	a. 연속적인, 연이은	s	10
35	p. 이해하다, 알아듣다	g	12 (p.)
36	a. 많은	n	8
37	p. 최신 정보를 계속 유지하다	k	12 (p.)
38	n. 속기, 약칭 v. 속기하다	s	9
39	p. 성급하게 결론을 내리다	j	17 (p.)
40	v. 정착(고정)시키다, 집착하다	f	6

번호	영어	한글	글자수
1	flatter		
2	revalidate		
3	legislate		
4	paralyze		
5	intense		
6	at all times		
7	doom		
8	outlandish		
9	be subjected to N		
10	after the fact		
11	statistics		
12	get A out of the way		
13	disinterested		
14	carpenter		
15	obedient		
16	legitimate		
17	ballot		
18	sumptuous		
19	insulate		
20	incorporate		

번호	한글	영어	글자수
21	n. 재앙	c	11
22	n. 논평, 말 v. 논평하다, 발언하다, 주목하다	r	6
23	v. 경감시키다, 완화시키다	r	7
24	p. ~에 적응하다, ~에 조정하다	a	9 (p.)
25	n. 존경, 경의; 존경하다, 존중하다	e	6
26	v. 잡다; 파악하다, 이해하다	g	5
27	p. 결국 ~이 되다	e	5 (p.)
28	v. 갈기갈기 찢다, 째다	s	5
29	p. ~을 이용하다	a	14 (p.)
30	n. 법령, 포고	d	6
31	v. 해고하다, 무시하다; 일축하다, 해산시키다	d	7
32	p. 법에 의해	b	5 (p.)
33	v. 조직화하다, 조정하다	c	10
34	n. 국회 v. 모이다	c	8
35	n. 추방, 유배	e	5
36	a. 괴짜인, 별난	e	9
37	v. 이용하다; 개발하다; n. 공, 업적	e	7
38	v. 처형하다; 실행하다	e	7
39	p. ~과 반대의	o	11 (p.)
40	p. 이해하다, 알아듣다	g	12 (p.)

Answers.

Day 1

page 4

번호	정답
1	n. 포도나무, 덩굴 식물
2	a. A다 B라기 보다는
3	p. ~에 적용하다
4	v. 가까워지다, 근접하다 a. 근사치의, 대략적인
5	n. (작은 보트의) 노, 주걱
6	p. ~에 근거하다
7	a. 황량한, 쓸쓸한
8	a. 낮은 가격으로
9	a. 장엄한, 당당한
10	p. ~하는 것으로 보이다
11	n. 분화구
12	n. 고문, 심한 고통 v. 고문하다
13	n. 외양간, 헛간
14	n. 뒤쪽; 뒤쪽의; 기르다, 양육하다
15	n. 자치주, 군(미국 대부분 주의 최소 행정 구역)
16	a. 과잉, 과잉의
17	a. 습한, 습기가 있는
18	n. 수입, 세입, 세수
19	p. 차례로
20	p. ~에서 회복하다

page 5

번호	정답
21	be divided into
22	summit
23	ruin
24	dissolve
25	mast
26	belong to N
27	hand down
28	equator
29	comet
30	pedestrian
31	district
32	embassy
33	clone
34	swell
35	vegetation
36	exotic
37	aspiration
38	drown
39	gulf
40	sheer

Day 2

page 7

번호	정답
1	n. 떼, 무리; 떼 지어가다
2	a. 열의, 보온성이 좋은
3	n. 퇴비, 두엄 v. 퇴비를 만들다
4	a. 선형의, 선적인
5	n. (울타리로 쳐 놓은) 구역
6	a. 정확한
7	n. 견본, 표본
8	n. 무리; 송이; 성단; v. 밀집시키다
9	n. 용량, 능력, 수용력
10	n. 발췌, 추출물
11	n. 구멍; 충치
12	p. ~에게 생각이 떠오르다
13	n. 당의(설탕을 입힌 과자)
14	a. 신진대사의, 물질대사의
15	a. 더러운, 불결한, 불순한
16	p. 게다가, 더욱이
17	p. 침입하다
18	p. 운동하다; 알아내다, 해결하다; 계산하다
19	n. 비율; 조화, 균형
20	p. ~에 붙어 있다

page 8

번호	정답
21	come across
22	substance
23	radius
24	velocity
25	capitalize on
26	magnetism
27	extinct
28	fur
29	reed
30	infer
31	wither
32	get past
33	dehydrate
34	underpin
35	lunar
36	reservoir
37	under consideration
38	orbit
39	mutation
40	take after

page 9

번호	정답
1	v. 망치다, 파산시키다; 파산, 붕괴
2	v. 추론하다; 암시하다
3	a. 습한, 습기가 있는
4	n. 용량, 능력, 수용력
5	p. ~에 근거하다
6	a. 황량한, 쓸쓸한
7	n. 수입, 세입, 세수
8	v. 익사하다, 익사시키다
9	n. 포도나무, 덩굴 식물
10	n. 팽창 v. 부풀다, 부풀어 오르다
11	p. ~을 이용[활용]하다
12	p. ~을 넘어서다, ~을 지나가다
13	n. 갈대, 갈대밭
14	p. 고려 중인
15	n. 분화구
16	n. 퇴비, 두엄 v. 퇴비를 만들다
17	n. 복제 생물, 클론; 복제하다
18	p. 운동하다; 알아내다, 해결하다; 계산하다
19	p. ~을 물려주다
20	a. 과잉, 과잉의

page 10

번호	정답
21	district
22	thermal
23	county
24	cavity
25	rear
26	proportion
27	vegetation
28	pedestrian
29	by turns
30	be attached to
31	extract
32	orbit
33	reservoir
34	specimen
35	radius
36	mutation
37	adapt to N
38	magnetism
39	aspiration
40	torture

Day 3

page 12

번호	정답
1	v. 확신시키다, 납득시키다, 수긍하게 하다
2	v. 과장하다
3	p. ~을 접하다, ~에 노출되다
4	p. ~을 할 수 있다
5	n. 소매, 소매상 a. 소매의, 소매상의
6	n. (시계의) 추, 진자
7	p. ~을 제외하고
8	p. ~로 합병하다, ~에 융합하다
9	p. A와 B를 통합시키다
10	v. 문지르다
11	n. 보증, 보증물; 보어
12	v. 존경하다
13	v. 크게 기뻐하다
14	a. 공손한, 정중한
15	v. 암살하다
16	p. ~를 줄이다
17	a. 완고한; 다루기 힘든; 지우기 힘든
18	p. 일어나다, 생기다
19	n. 추론, 연역; 공제, 공제액
20	v. 속삭이다, 중얼거리다, 소곤거리다

page 13

번호	정답
21	compound
22	misery
23	on the surface
24	grasp
25	deliberate
26	depending on
27	alternative
28	convert
29	inhibit
30	rag
31	dose
32	scent
33	on the contrary
34	arise
35	segregation
36	obvious
37	outcast
38	preside
39	gratitude
40	outright

page 14

번호	정답
1	n. 정상, 산꼭대기 a. 정상회담의
2	p. 일어나다, 생기다
3	n. 선거구 지역, 구역
4	p. ~에 근거하다
5	v. 잡다; 파악하다, 이해하다
6	n. 속도, 빠른 속도
7	v. 시들다, 말라 죽다
8	v. 주관하다, 주재하다
9	p. ~을 닮다
10	p. ~을 우연히 발견하다
11	v. 문지르다
12	n. 팽창 v. 부풀다, 부풀어 오르다
13	n. 무리; 송이; 성단; v. 밀집시키다
14	n. 대사관
15	a. 바깥의, 해외의, 이국적인
16	p. ~에서 회복하다
17	n. 뒤쪽; 뒤쪽의; 기르다, 양육하다
18	a. 가까워지다, 근접하다 a. 근사치의, 대략적인
19	p. ~에 붙어 있다
20	a. 과잉, 과잉의

page 15

번호	정답
21	compound
22	substance
23	exaggerate
24	be capable of
25	at a low price
26	specimen
27	torture
28	on the contrary
29	crater
30	precise
31	outright
32	deliberate
33	murmur
34	misery
35	what is more
36	flock
37	except for
38	be exposed to
39	deduction
40	thermal

Day 4

page 17

번호	정답
1	v. ~보다 뛰어나다
2	v. 달성하다, 이루어 내다
3	v. 존경하다
4	n. 넝마 조각, 누더기 옷
5	n. 잠재력 a. 잠재력이 있는, 가능성이 있는
6	n. 감사
7	p. 나오다, 등장하다
8	n. 탐정 a. 탐정의
9	a. 양자택일의 n. 양자택일, (보통 복수형)
10	v. 구두점을 찍다, (말을) 중단시키다
11	p. A를 염두에 두고
12	a. 명백한, 분명한
13	v. 변환하다, 전환하다, 개종시키다
14	n. 인용구, 인용; 견적
15	n. 떨림, 전율; v. (몸을) 떨다
16	v. 크게 기뻐하다
17	v. 저해하다, 못하게 하다, 억제하다
18	p. 외견상으로는
19	v. 과장하다
20	p. ~의 의지에 반하여 행동하다

page 18

번호	정답
21	coordinate
22	deduction
23	duplicate
24	with access to
25	scent
26	merge into
27	diffuse
28	depending on
29	outright
30	comply
31	arise
32	on the contrary
33	elementary
34	account for
35	eligible
36	courteous
37	prefer A to B
38	compound
39	be exposed to
40	in the absence of

page 19

번호	정답
1	p. ~을 닮다
2	a. 달의, 음력의
3	p. A다 B라기 보다는
4	v. 존경하다
5	n. 만, 격차
6	a. 공손한, 정중한
7	p. ~을 넘어서다, ~을 지나가다
8	p. 차례로
9	n. 분화구
10	p. ~를 줄이다
11	v. 속삭이다, 중얼거리다, 소곤거리다
12	v. 거꾸로 하다
13	v. 저해하다, 못하게 하다, 억제하다
14	p. ~에 근거하다
15	n. 모피, 털
16	a. 익은, 숙성된
17	a. 신진대사의, 물질대사의
18	a. ~에 붙어 있다
19	a. 인식의, 인지의
20	v. 주관하다, 주재하다

page 20

번호	정답
21	conceive
22	outright
23	be exposed to
24	arise
25	come across
26	flock
27	work out
28	constrict
29	specimen
30	extinct
31	thermal
32	misery
33	linear
34	torture
35	bald
36	outcast
37	underpin
38	insomnia
39	dose
40	capitalize on

Day 5		Day 6		Day 7		Day 8	
page 22		page 27		page 32		page 37	
번호	정답	번호	정답	번호	정답	번호	정답
1	a. 예민한, 신중한, 매우 관심이 많은; 깊은, 강한	1	v. 조종하다, 조작하다; 잘 다루다	1	n. 성분, 구성요소	1	v. 갈망하다, 그리워하다
2	a. 대단한, 지독한; 훌륭한	2	p. 결국, 결국에는; 긴 악목으로	2	n. 강도, 빈집털이, 밤도둑	2	v. 탐닉하다, ~에 빠지다; 내버려 두다
3	p. ~을 책임지다	3	v. 빗나가다, 빗나가게 하다	3	a. 모호한, 여러 가지로 해석할 수 있는	3	a. 냉담한
4	a. 팽팽한; 간결한 n. 협정, 계약	4	v. 묻다, 조사하다	4	p. 전혀 ~이 아닌, ~와는 거리가 먼	4	a. 최대의, 극도의
5	v. 뒤집다, 거꾸로 하다	5	a. 충분한	5	p. ~의 영향을 받지 않는	5	v. 돌이켜보다, 추억하다; 추억, 회상
6	n. 통계; 통계학, 통계 자료	6	n. 가설	6	v. 빼다, 감하다	6	a. 공감할 수 있는, 감정 이입의
7	n. 포식자, 약탈자, 육식동물	7	v. 고집하다, 노력하다, 견디다	7	n. 다수, 수많음, 많은 사람	7	p. ~할 자격이 있는
8	n. 감염, 전염병	8	v. 내던지다, 퍼붓다	8	n. 대표자, 대리인 v. 권한을 위임하다	8	n. 식민지; 집단, 부락, 군집, 군체
9	v. 허락하다, 인가하다	9	n. 윤리학	9	a. 의미 심장한, 중요한, 상당한	9	p. 할인하여
10	n. 특권, 특전	10	n. 대칭, 균형	10	a. 가장 깊은, 친밀한	10	n. 중세의 [ev 시대(age)]
11	p. ~ 비난을 받아야 한다, ~의 책임이 있다	11	v. 번창하다, 잘 자라다	11	p. 지나가는 말로	11	n. 재앙
12	v. 실을 꿰다 n. 실	12	v. 연장하다	12	p. ~에 따라 행동하다; 조치를 취하다	12	a. 사나운, 맹렬한
13	v. 칭찬하다; 맡기다, 위탁하다	13	v. 손상시키다	13	a. 힘의, 역동적인, 활발한	13	p. ~에 사로잡힌
14	n. 국회 v. 모이다	14	p. 가까이에	14	v. 주지 않다, 받지 않다, 억제하다	14	p. ~을 좋아하다
15	a. 정교한, 매우 아름다운	15	v. 추측하다	15	p. ~에게 (나쁜) 소식을 전하다	15	n. 사기, 사기꾼
16	v. 나오다, 나타나다; 벗어나다	16	n. 연민, 동정	16	n. 착수, 시작	16	v. 끄덕이다, (고개를) 까딱하다
17	p. ~에 익숙해지다	17	a. 타고난, 선천적인	17	a. 전체의, 건강에 좋은, 건전한	17	n. 하부조직(구조), 기초, 토대; 사회 기반 시설
18	p. ~을 얻으려고 노력하다	18	v. 인도하다, 넘기다	18	a. 이용되지 않은, 미개발의	18	p. ~에 피해를 주는
19	a. 지나간, 과거의	19	n. 보도, 방송, 보급	19	v. 한정하다, 제한하다; 가두다, 감금하다	19	n. 유산, 유물, 물려받은 것
20	v. 닮다, 비슷하다	20	v. 다 써버리다, 기진맥진하게 만들다 n. 배출	20	a. 움직이지 않는, 고정된	20	n. 논평, 해설

Day 5		Day 6		Day 7		Day 8	
page 23		page 28		page 33		page 38	
번호	정답	번호	정답	번호	정답	번호	정답
21	come of age	21	attain	21	in favor with	21	vital
22	all the more	22	at the least	22	sake	22	elaborate
23	mourn	23	blame A on B	23	coincide with	23	appeal to N
24	be aimed at	24	fatigue	24	moderate	24	favoritism
25	nourish	25	be conscious of	25	back down	25	coffin
26	faint	26	decade	26	demote	26	entrust
27	carpenter	27	stitch	27	dense	27	consecutive
28	outlandish	28	straightforward	28	catch up on	28	frank
29	sow	29	epidemic	29	committee	29	reveal
30	yield	30	vanish	30	reflect	30	definite
31	phenomenon	31	be frightened of	31	contaminate	31	stride
32	unearth	32	spontaneous	32	banquet	32	primitive
33	assert	33	exile	33	linger	33	downplay
34	allow for	34	in harmony with	34	expend	34	deal with
35	connect with	35	get into shape	35	tribe	35	carefree
36	deficit	36	confuse A with B	36	harsh	36	be terrified of
37	from above	37	stun	37	hardwire	37	linguistic
38	standpoint	38	pioneer	38	perceive	38	hygiene
39	deluxe	39	mandatory	39	around the clock	39	cast A aside
40	synthetic	40	cradle	40	degenerate	40	have an impact on

Day 5		Day 6		Day 7		Day 8	
page 24		page 29		page 34		page 39	
번호	정답	번호	정답	번호	정답	번호	정답
1	v. 주관하다, 주재하다	1	a. 정교한, 매우 아름다운	1	a. 열의, 보온성이 좋은	1	p. ~을 넘어서다, ~을 지나가다
2	a. 버림받은, 쫓겨난, 버림받은 사람	2	n. 현상, 사건	2	v. 망치다, 파산시키다; 파산, 붕괴	2	n. 갈대, 갈대밭
3	v. 칭찬하다; 맡기다, 위탁하다	3	p. 직접 만날 수 있는	3	p. 외견상으로는	3	a. 희미한, 어렴풋한; 힘 없는, 겁 많은; n. 기절
4	v. (주장 등을) 뒷받침하다; 토대를 제공하다	4	a. 인식의, 인지의	4	a. 널리 퍼져 있는 n. 유행(병)	4	p. ~에 붙어 있다
5	n. 현상, 사건	5	v. ~을 닮다	5	a. 초보의, 초급의, 기본적인	5	n. 적자, 부족액, 결손
6	n. 퇴비, 두엄 v. 퇴비를 만들다	6	n. 넝마 조각, 누더기 옷	6	a. 과잉, 과임의	6	a. 언어의, 언어학의
7	a. 대머리의, 머리가 벗겨진	7	a. 얇은, 순수한	7	a. 양자택일의 n. 양자택일, (보통 복수형)	7	p. ~에서 회복하다
8	p. ~에 따라서	8	p. ~에 적응하다	8	p. ~의 영향을 받지 않는	8	p. ~로 합병하다, ~에 융합하다
9	p. ~에 익숙해지다	9	v. 허락하다, 인가하다	9	n. 불면증	9	p. ~을 목표로 하다
10	n. 감염, 전염병	10	p. 차례로	10	a. 정교한, 매우 아름다운	10	p. ~에 근거하다
11	n. (약의 1회분) 복용량, 투여량	11	a. 기운이 없는, 다리를 절다, 절뚝거림	11	a. 풍부한	11	v. 주관하다, 주재하다
12	v. 가까워지다, 근접하다 a. 근사치의, 대략적인	12	v. 마음에 품다, 고안하다, 상상하다; 이해하다	12	v. 저해하다, 못하게 하다, 억제하다	12	a. 최대의, 극도의
13	v. 암살하다	13	a. 버림받은, 쫓겨난, 버림받은 사람	13	n. 구멍; 충치	13	a. 규칙으로 명령하는, 의무적인, 필수의
14	p. ~을 접하다, ~에 노출되다	14	a. 간단한, 솔직한	14	n. 수입, 세입, 세수	14	v. 칭찬하다; 맡기다, 위탁하다
15	a. 장엄한, 당당한	15	v. 확신시키다, 납득시키다, 수긍시키게 하다	15	v. 강등시키다	15	v. 조직화하다, 조정하다
16	n. 생장, 초목; 무위도식	16	v. 달래다, 위로하다	16	v. 구두점을 찍다, (말을) 중단시키다	16	n. 사기, 사기꾼
17	a. 명백한, 분명한	17	v. 가까워지다, 근접하다 a. 근사치의, 대략적인	17	n. 감사	17	a. 장엄한, 당당한
18	n. 혜성	18	p. ~로 합병하다, ~에 융합하다	18	a. 자발적인, 자연스러운	18	a. 혹독한, 가혹한
19	p. ~을 책임지다	19	p. 적어도	19	n. 외양간, 헛간	19	n. 감염, 전염병
20	n. 국회 v. 모이다	20	v. 망치다, 파산시키다; 파산, 붕괴	20	p. ~을 닮다	20	n. 선구자, 선도자

Day 5		Day 6		Day 7		Day 8	
page 25		page 30		page 35		page 40	
번호	정답	번호	정답	번호	정답	번호	정답
21	adjust to N	21	consonant	21	hand down	21	surplus
22	with A in mind	22	work out	22	cradle	22	near at hand
23	accomplish	23	infer	23	be exposed to	23	obvious
24	aspiration	24	one after another	24	potential	24	underpin
25	potential	25	barn	25	significant	25	legacy
26	compact	26	hand down	26	magnetism	26	be to blame for
27	mourn	27	linear	27	comet	27	retrospect
28	embassy	28	be accustomed to N	28	commend	28	far from
29	drown	29	adjust to N	29	congress	29	in harmony with
30	alternative	30	punctuate	30	unearth	30	in passing
31	rub	31	vine	31	intimate	31	decade
32	infer	32	be to blame for	32	one after another	32	humid
33	conceive	33	ethics	33	radius	33	demote
34	complement	34	desolate	34	exotic	34	swell
35	impure	35	scent	35	hypothesis	35	rag
36	equator	36	murmur	36	paddle	36	accurate
37	standpoint	37	duplicate	37	infection	37	radius
38	mutation	38	inquire	38	extinct	38	stubborn
39	paddle	39	courteous	39	moderate	39	allow for
40	rear	40	spontaneous	40	adjust to N	40	statistics

page 42		page 47		page 52		page 57	
번호	정답	번호	정답	번호	정답	번호	정답
1	v. ~란 상태로 만들다; 꾸다, 세공하다; 표면에	1	v. 반으로 줄다, 이등분하다	1	p. 많은, 다량의	1	p. ~을 받다; ~을 겪다
2	p. ~가 한창일 때	2	n. 규정, 조항, 공급, 대비	2	a. (대단히) 사랑하는	2	p. ~와 공통으로 / ~와 같게
3	n. 사랑, 박애, 관용; 자선(행위), 자선(단체)	3	n. 비관론자, 염세주의자	3	n. 연민, 동정, 유감	3	n. 운명, 숙명
4	p. ~을 두려워[경외]하다	4	n. 테, 쇠테, 링, 굴렁쇠	4	v. 위태롭게 하다	4	v. 항의(하다)
5	v. ~을 야단치다, 비난하다	5	n. 불안, 우려, 불안감	5	adv. 무심코, 분별없이, 어리석게	5	v. 억제하다
6	n. 문지기, 수위, 관리인	6	v. 강요하다, ~하게 하다	6	n. 애도; v. 애통하다	6	v. 찍다; ~에게 감명을 주다
7	p. ~할 수 밖에 없다	7	n. 미신, 미신적 행위	7	v. 막다, 방해하다	7	n. 단점, 결점, 잘못
8	수입을 초과하여 살다	8	a. 똑바로 선 v. 세우다, 직립시키다	8	v. ~에게 부과되다 / ~말겨지다; ~을 습격하다	8	p. 시대에 뒤떨어진, 구식의
9	a. 수직의, 세로의	9	p. ~앞에, ~보다 앞서	9	p. 이를 위해, 그 목적을 달성하기 위하여	9	n. 공동묘지
10	v. 동의하다, 승인하다 n. 동의, 허가	10	v. 부착하다, 고수하다, 지지하다	10	n. 성명, 성명서; 명세서; 진술, 연설	10	v. 석방하다, 놓아주다; 발표하다 n. 해방, 면제
11	p. 여느 때와 달리, 기분 전환으로	11	p. 무슨 수를 써서라도, 기어이	11	v. 대피시키다, 철수시키다	11	v. 시작하다, 착수하다; 전수하다
12	a. 비열한, 비천한	12	v. 반박하다	12	a. 신경의	12	v. ~을 제한하다, 금지하다, 한정하다
13	p. ~와 토론을 벌이다	13	v. 낙담시키다; 불경기로 만들다	13	v. 인용하다; 언급하다; 소환하다	13	v. 경감시키다, 완화시키다
14	n. 나루터, 나룻배, 연락선 v. 수송하다	14	v. 산산이 부수다; n. 파편	14	v. 멈추다, 중단 v. 멈추다, 서다	14	v. 거주하다, 살다
15	n. 놀라운 일 v. 놀라다	15	v. 생각해내다, 회상하다	15	v. 헤나가다, 추구하다	15	p. A에게 B를 주다, 투자하다
16	p. ~ 의 방법으로, ~에 의해서, ~을 거쳐서	16	n. 지루함	16	a. 엄숙한, 침통한	16	v. 추적하다; 밝혀내다; n. 자취, 발자국
17	p. 붙잡고 있다, 기다리다, 고정시키다	17	v. 얼룩, 얼룩지다, 더럽히다	17	a. 중립의, 중간의; 감정이 드러나지 않는	17	n. 시도, 노력 v. 시도하다
18	v. 정렬시키다; 잘 차려 입히다 n. 대형, 배치	18	v. 금지하다, 제지하다	18	v. 존경, 경의; 존경하다, 존중하다	18	p. ~을 먹이로 하다
19	a. 거두절미한, 간결한	19	v. 고무하다, 격려하다, 영감을 주다	19	v. 비롯되다, 유래하다; 끌어내다, 유도하다	19	n. 금기, 금기시되는 것 a. 금제의
20	n. 장관, 성직자, 목사	20	a. 원인이 되는	20	v. 요구하다, 청구하다; 수요	20	n. 겁쟁이

page 43		page 48		page 53		page 58	
번호	정답	번호	정답	번호	정답	번호	정답
21	shred	21	at a charge of	21	in one's opinion	21	conduct
22	scorn	22	ballot	22	alliance	22	extinguish
23	nurture	23	in the same way	23	optimal	23	sewage
24	prompt	24	unanimous	24	debate	24	more often than not
25	irrational	25	affect	25	obedient	25	wield
26	sarcastic	26	resolute	26	disorder	26	reduce
27	soothe	27	renown	27	solvent	27	craft
28	distinguish	28	sew	28	at the beginning of	28	overlook
29	enter into	29	doctrine	29	table of contents	29	at a 형 price
30	scarcity	30	severe	30	parachute	30	a bunch of
31	ware	31	chances are	31	sneeze	31	mob
32	frustrate	32	can afford to do	32	accuse	32	mobilize
33	indifferent	33	sob	33	get along with	33	cut out
34	compass	34	nerve	34	deter	34	absorb
35	sway	35	have a point	35	after the fact	35	stall
36	drawback	36	fall away	36	perspective	36	inflame
37	profit	37	take hold	37	intense	37	decree
38	parallel	38	have a problem with	38	have a taste for	38	paradox
39	in a timely fashion	39	accord	39	draw A out	39	suffix
40	divine	40	shrug	40	transmit	40	at the moment

page 44		page 49		page 54		page 59	
번호	정답	번호	정답	번호	정답	번호	정답
1	p. 할인하여	1	v. 강요하다, ~하게 하다	1	a. 규칙으로 명령하는, 의무적인, 필수의	1	a. 확실한, 확고한, 분명한
2	v. 달래다, 위로하다	2	n. 모피, 털	2	n. 자음	2	p. 몸매를 가꾸다
3	n. 불행, 고통, 비참(함)	3	a. 고의적인, 계획적인; 신중한, 심사숙고하는	3	n. 사기, 사기꾼	3	n. 생장, 초목; 무위도식
4	a. 거두절미한, 간결한	4	n. 혜성	4	a. 거두절미한, 간결한	4	v. 좌절감을 주다; 방해하다
5	n. 군주제, 군주국, 군주 일가, 왕가	5	n. 불안, 우려, 불안감	5	v. 얻다; 달성하다, 도달하다	5	v. 거주하다, 살다
6	v. 동의하다, 승인하다 n. 동의, 허가	6	n. 장관, 성직자, 목사	6	a. (대단히) 사랑하는	6	n. 나루터, 나룻배, 연락선 v. 수송하다
7	v. ~란 상태로 만들다; 꾸다, 세공하다; 표면에	7	n. 불면증	7	p. 발달한 상태가 되다, 성년이 되다	7	p. ~을 좋아하다, ~에 취미가 있다.
8	v. (결과·이익 등을) 내다, 생산하다; 항복하다	8	n. 본질, 실체; 물질	8	p. ~을 좋아하다, ~에 취미가 있다.	8	n. 동맹, 동맹국, 협력, 협조, 친화
9	p. 효과를 미치다	9	v. 강등시키다	9	a. 엄격한, 가차없는, 혹독한	9	v. 구별하다, 구분하다
10	a. 정성들인, 정교한 v. 상세히 설명하다	10	v. 드러내다, 나타내다, 보여주다	10	p. A를 B의 책임[때문]으로 보다	10	v. 반으로 줄다, 이등분하다
11	v. 마음에 품다, 고안하다, 상상하다; 이해하다	11	n. 놀라운 일 v. 놀라다	11	v. 나오다, 나타나다; 벗어나다	11	p. 차례로, 잇따라서, 하나하나
12	v. 오래 머무르다; 지속되다	12	a. 과잉, 과밀의	12	p. ~에 익숙해지다	12	a. 즉석의, 신속한
13	p. ~을 상대하다, 다루다	13	v. 일치하다, 조화되다 n. 합의	13	v. 착수, 시작	13	v. 잡다; 파악하다, 이해하다
14	n. 연민, 동정	14	p. ~을 두려워[경외]하다	14	n. 테, 쇠테, 링, 굴렁쇠	14	v. 자극하다, 불을 붙이다, 타오르다
15	n. 논평, 해설	15	p. 침입하다	15	p. ~을 무서워하다	15	p. 이를 위해, 그 목적을 달성하기 위하여
16	v. 강등시키다	16	p. ~을 상대하다, 다루다	16	a. 적격의, 자격이 있는	16	v. 주관하다, 주재하다
17	a. 풍자적인, 빈정대는, 비꼬는	17	n. 용량, 능력, 수용력	17	n. 비관론자, 염세주의자	17	p. ~에 따라서
18	n. 관; 시체를 담는 상자	18	v. 성큼성큼 걷다, 활보하다; 큰 걸음, 보폭	18	v. 퇴비를 주다, 활보하다; 퇴비를 만들다	18	p. 24시간 내내
19	n. 착수, 시작	19	v. 얻다; 달성하다, 도달하다	19	p. (소식·정보를) 알아내다	19	p. (소식·정보를) 알아내다
20	p. 게다가, 더욱이	20	p. ~에 속하다	20	n. 보행자; 평범한, 진부한	20	v. 추적하다; 밝혀내다; n. 자취, 발자국

page 45		page 50		page 55		page 60	
번호	정답	번호	정답	번호	정답	번호	정답
21	comet	21	outset	21	hold on	21	at a charge of
22	epidemic	22	be frightened of	22	spontaneous	22	taboo
23	exaggerate	23	depress	23	recollect	23	vanish
24	coverage	24	scarcity	24	marvel	24	commend
25	shred	25	adjust to N	25	divine	25	smear
26	fraud	26	utmost	26	come out	26	array
27	in passing	27	ballot	27	answer for	27	unease
28	account for	28	symmetry	28	cast A aside	28	obedient
29	be aimed at	29	compost	29	shrug	29	carpenter
30	break the news to	30	subtract	30	be conscious of	30	observe
31	eligible	31	from above	31	at a low price	31	live beyond one's income
32	impolite	32	stubborn	32	at the least	32	imprint
33	spontaneous	33	wholesome	33	scorn	33	swell
34	caught in	34	be accustomed to N	34	qualified to do	34	infrastructure
35	adapt to N	35	indulge	35	revenue	35	adjust to N
36	decade	36	soothe	36	predator	36	adhere
37	come about	37	crater	37	stationary	37	thread
38	specimen	38	congress	38	hypothesis	38	be attached to
39	velocity	39	consecutive	39	substance	39	mourn
40	wholesome	40	janitor	40	symmetry	40	hypothesis

Day 13

page 62

번호	정답
1	n. 검은 윤곽, 실루엣
2	v. 밖으로 던지다; 분출하다
3	a. 마실 수 있는
4	p. ~에도 불구하고, ~에 직면하여
5	v. 방해하다, 간섭하다
6	v. 끝나다, 종료되다, 끝내다
7	a. 글을 모르는, 문맹의
8	p. ~을 구조하러 오다
9	v. 딴 데로 돌리다, 산만하게 하다
10	a. 말의, 문자 그대로의
11	a. 힘이 없는, 무기력한
12	n. 급함, 서두름; v. 서두르다
13	n. 일화
14	v. 구성하다
15	v. 마비시키다, 활동 불능이 되게 하다
16	n. 기하학, 기하학적 구조
17	n. 노래가사; a. 서정시의
18	n. 국회, 입법부
19	v. 부유하게 하다, 풍요롭게 하다
20	a. 주목할 만한

page 63

번호	정답
21	complicate
22	cumulative
23	adequate
24	profound
25	get A out
26	stout
27	in conclusion
28	watchful
29	in a series
30	anonymous
31	by law
32	at one another
33	communism
34	conscience
35	in good faith
36	composure
37	in an effort to do
38	digest
39	archery
40	at latest

page 64

번호	정답
1	a. 최선의, 최적의
2	n. 퇴비, 두엄 v. 퇴비를 만들다
3	v. 시작하다, 착수하다; 전수하다
4	p. 차례로, 잇따라서, 하나하나
5	n. 국회 v. 모이다
6	v. 나오다, 나타나다; 벗어나다
7	p. ~의 시작에
8	n. 감염, 전염병
9	a. 책임을 져야 할, ~ 경향이 있는, ~하기 쉬운
10	n. 하부조직(구조), 기초, 토대; 사회 기반 시설
11	v. 정렬시키다; 잘 차려 입히다 n. 대형, 배치
12	vi. (문제 상황이) 일어나다, 발생하다
13	n. 반지름, 반경
14	n. 연민, 동정, 유감
15	n. 가설
16	p. ~을 넘어서다, ~을 지나가다
17	a. 수직의, 세로의
18	a. 풍자적이다, 빈정대는; 비꼬는
19	p. ~의 의지에 반하여 행동하다
20	n. 규정, 조항, 공급, 대비

page 65

번호	정답
21	haste
22	district
23	have no choice but to do
24	precise
25	cognitive
26	have a point
27	decade
28	accurate
29	extinguish
30	unearth
31	eligible
32	stout
33	in a series
34	medieval
35	misery
36	work out
37	demand
38	allow for
39	verbal
40	superstition

Day 14

page 67

번호	정답
1	n. 생리학, 생리 (기능)
2	v. (불을 붙이다), 태우다
3	v. 조심하다, 주의하다
4	v. 할당하다, 배분하다
5	p. ~을 (붙)잡다
6	v. ~을 능가하다, ~보다 낫다
7	v. 유혹하다
8	p. A를 B에 부과하다, 선고하다
9	v. 향상
10	v. (가구를) 비치하다, 제공하다
11	p. ~의 본보기가 되다
12	v. 깜짝 놀라게 하다
13	v. 평하다, 생각하다 n. 평판, 소문
14	v. 확언하다, 단언하다, 주장하다
15	n. 사내아이, 청년
16	a. 거리낌 없는, 솔직한
17	n. 위원회, 심의회, 지방 의회
18	v. 완전히 파괴하다, 유린하다, 황폐화하다
19	a. 상관하지 않는, 고려하지 않고
20	a. 유능한, 능숙한

page 68

번호	정답
21	on one hand
22	flavor
23	resign
24	come to do
25	imperial
26	remark
27	in any case
28	excuse oneself for
29	curse
30	attribute
31	suppress
32	align
33	celsius
34	alienation
35	atmosphere
36	hold together
37	wreckage
38	get into trouble
39	frantic
40	hibernate

page 69

번호	정답
1	v. 찍다; ~에게 감명을 주다
2	n. 통계; 통계학, 통계 자료
3	a. 확실한, 확고한, 분명한
4	n. 문지기, 수위, 관리인
5	n. 과잉, 과잉의
6	v. 조종하다, 조작하다; 잘 다루다
7	p. ~을 먹이로 하다
8	p. 인도하다, 넘기다
9	n. (책 등의) 목차
10	n. 불안, 우려, 불안감
11	v. 부유하게 하다, 풍요롭게 하다
12	v. 산산이 부수다; n. 파편
13	n. 사랑, 박애, 관용; 자선(행위), 자선(단체)
14	n. 탐정 a. 탐정의
15	a. 제국의, 황제의
16	v. 다 써버리다, 기진맥진하게 만들다 n. 배출
17	n. 입장, 견지, 관점
18	n. 관; 시체를 담는 상자
19	v. 단결시키다
20	v. 반박하다

page 70

번호	정답
21	integrate A with B
22	ruin
23	illiterate
24	coward
25	subtract
26	liable
27	indulge
28	by turns
29	crater
30	recollect
31	cut out
32	persevere
33	out of date
34	emerge
35	lyric
36	obstruct
37	pity
38	sway
39	utmost
40	underpin

Day 15

page 72

번호	정답
1	v. (깎아) 다듬다, 없애다; 삭감하다
2	p. ~에 냉담한
3	p. 다루다, 대처하다
4	a. 사춘기 청소년의, 청년의
5	a. 무모한, 신중하지 못한
6	n. 비축, 비축량 v. 비축하다
7	v. 묘사하다, 서술하다
8	p. 한마디로
9	n. 이야기, 대화; 강연, 담론, 담화
10	p. ~에 대한 헌신
11	v. 악보로 표시하다; 기록하다, 적어두다
12	n. 교육; 수업
13	v. 계속 수행하다, 계속 ~하다
14	n. 분쟁, 불화, 반목
15	a. 우울한
16	a. 몹시 추운, 냉담한
17	a. 유효한
18	n. 위험 v. ~을 위태롭게 하다
19	p. ~에 반응하다
20	v. 가정하다, 추측하다; 떠맡다; ~인 체하다

page 73

번호	정답
21	conform
22	deadly
23	urge
24	diplomacy
25	overwhelm
26	thorn
27	perish
28	overthrow
29	abandon
30	on one's own
31	obsolete
32	do away with
33	subordinate
34	devote
35	administration
36	commodity
37	mediate
38	call after
39	take A for granted
40	corrupt

page 74

번호	정답
1	p. ~의 방법으로, ~에 의해서, ~을 거쳐서
2	p. ~을 우연히 발견하다
3	v. 그만두게 하다, 단념시키다, 저지하다
4	a. 정확한, 정밀한
5	p. ~을 좋아하다, ~에 취미가 있다.
6	a. 합성한, 인조의; 종합적인
7	p. ~을 제외하고
8	n. 비축, 비축량 v. 비축하다
9	p. A를 버리다
10	n. 합성물, 합성어 v. 혼합하다, 합성하다
11	n. 생장, 초목; 무위도식
12	a. 모호한, 여러 가지로 해석할 수 있는
13	n. 동맹, 동맹국, 협력, 협조, 친화
14	p. ~의 비용 부담하다
15	a. 강렬한, 치열한, 심한
16	a. 누적되는, 가중의
17	v. 악보로 표시하다; 기록하다, 적어두다
18	v. 인용하다; 언급하다; 소환하다
19	n. 식민지; 집단, 부락, 군집, 군체
20	n. 노래가사; a. 서정시의

page 75

번호	정답
21	accuse
22	console
23	indulge
24	hibernate
25	duplicate
26	dissolve
27	silhouette
28	dose
29	pessimist
30	punctuate
31	linger
32	swell
33	beloved
34	have a problem with
35	get past
36	surplus
37	hazard
38	adolescent
39	infrastructure
40	elaborate

Day 16

page 77

번호	정답
1	v. 번식하다; 새끼를 낳다, 사육하다, 재배하다
2	a. 장엄한, 화려한, 훌륭한
3	n. 계약금, 예약금, 예금; 퇴적물, 침전물
4	n. 깨달음
5	v. 차별하다, 구별하다
6	v. A에게 B를 수여하다
7	p. ~하기만 하면 된다.
8	n. 순서, 연속; (연속된) 한 장면
9	v. 얼굴을 붉히다, 빨개지다
10	v. 미끄러지듯 가다, 활공하다
11	v. 흡입하다
12	p. ~을 두려워하다, ~을 경외하다
13	n. 불운, 불행
14	v. 비난하다; 선고하다
15	n. 연소, 산화, 불에 탐
16	a. 먹기에 좋은
17	v. 강화하다, 요새화하다
18	p. ~가 편한 때에
19	v. 예배하다, 숭배하다
20	v. 이해하다, 알아듣다

page 78

번호	정답
21	accentuate
22	entail
23	abrupt
24	end up
25	contemplate
26	melancholy
27	shed
28	sting
29	insist
30	peel
31	enormous
32	portray
33	in a degree
34	at no cost
35	indebt
36	at times
37	take pride in
38	designate
39	compulsive
40	dominate

page 79

번호	정답
1	v. 흐느껴 울다
2	v. 추적하다; 밝혀내다; n. 자취, 발자국
3	a. 유효한
4	v. ~을 야단치다, 비난하다
5	p. B보다 A를 더 선호하다
6	v. 평행하다, 유사하다
7	v. 반으로 줄다, 이등분하다
8	v. 예배하다, 숭배하다
9	n. 공기의 영역(대기권), 분위기
10	a. 상관하지 않는, 고려하지 않고
11	v. 재채기를 하다
12	a. 인식의, 인지의
13	p. ~을 얻으려고 노력하다
14	v. 헤나가다, 추구하다
15	p. ~을 두려워하다, ~을 경외하다
16	a. 무관심한, 사심이 없는
17	n. 탐정 a. 탐정의
18	v. 행하다, 지휘하다, 안내하다; 지휘, 지도, 행위
19	p. ~의 방법으로, ~에 의해서, ~을 거쳐서
20	v. (씨를) 뿌리다

page 80

번호	정답
21	be attached to
22	frigid
23	deter
24	obstruct
25	subordinate
26	physiology
27	except for
28	adjust to N
29	enrich
30	nurture
31	intense
32	competent
33	cavity
34	fling
35	stitch
36	cut out
37	qualified to do
38	carpenter
39	elementary
40	reveal

Day 17

page 82

번호	정답
1	v. 예상하다, 기대하다
2	p. 더 나쁠 거 없는, 똑같은
3	v. 이용하다; 개발하다; n. 공, 업적
4	p. ~을 잘게 자르다
5	p. ~에 참여하다; ~로 받아들이다
6	v. 기르다, 함양하다, 재배하다; 개발하다
7	p. ~에 익숙하다, ~을 잘 알다
8	v. 헌신하다, 전념하다, 바치다
9	n. 포로 a. 사로잡힌, 억류된
10	n. (일시적인) 유행
11	a. 어색한, 곤란한
12	n. 인구 조사
13	a. 근본적인, 기본적인; 중요한, 필수의
14	v. 꾀다, 유혹하다
15	n. 절약, 검약
16	v. (얼굴이) 붉어지다; 물이 쏟아지다
17	v. 중재하다, 개입하다
18	v. 긴장시키다 n. 힘을 주어 팽팽함
19	v. A를 B로 끌어들이다
20	a. 팽팽한, 긴장한, 절박한; n. 시제

page 83

번호	정답
21	starve
22	predominant
23	compress
24	famine
25	bruise
26	owe A to B
27	equipped with
28	swallow
29	foe
30	throne
31	substitute
32	smother
33	ritual
34	in the coming year
35	confess
36	in the air
37	warrant
38	shrink
39	get around
40	possess

page 84

번호	정답
1	p. 할인하여
2	n. 지루함
3	v. 찍다; ~에게 감명을 주다
4	a. 익은, 숙성한
5	v. 애도하다, 슬퍼하다
6	a. 이름이 없는 n. 익명
7	a. 중립적인, 중간의; 감정이 드러나지 않는
8	p. ~을 자랑하다
9	v. 완전히 파괴하다, 유린하다, 황폐하다
10	n. 생리학, 생리 (기능)
11	n. 마구간; 매점; 가판대; 칸막이 벽, 칸
12	p. A다 B라기 보다는
13	n. 공동묘지
14	n. 퇴비, 두엄 v. 퇴비를 만들다
15	v. 거주하다, 살다
16	n. 상품, 판매 상품
17	v. 좌절감을 주다; 방해하다
18	a. 엄숙한, 침통한
19	v. 속삭이다, 중얼거리다, 소곤거리다
20	n. 연민, 동정

page 85

번호	정답
21	revenue
22	mediate
23	with A in mind
24	magnificent
25	enrich
26	compact
27	approximate
28	get into trouble
29	enter into
30	at latest
31	deter
32	alienation
33	hoop
34	out of date
35	urge
36	mutation
37	trace
38	stout
39	depress
40	frank

Day 18

page 87

번호	정답
1	n. 입장, 태도, 자세
2	a. 싫어하는, 꺼리는
3	n. 동료, 또래 친구
4	v. 소홀히 하다, 경시하다; n. 태만, 경시
5	v. 고군분투하다 n. 투쟁, 싸움, 노력
6	p. 열심히 공부하다, 열공하다
7	n. 자율성
8	p. ~과 서로 관련된
9	p. ~와 관계가 있다
10	v. 조사하다, 검사하다
11	v. ~와 일치하다
12	a. 신속한, 빠른
13	n. 살인
14	p. 자기 방식이 몸에 밴
15	n. 도구; v. 실행하다, 시행하다
16	n. 유입, 유입량
17	n. 백과사전
18	p. ~을 처리하다, ~을 없애다
19	a. 온화한, 온난한; 온건한, 도를 넘지 않는
20	p. ~에 취약한

page 88

번호	정답
21	reinforce
22	condense
23	dismiss
24	timely
25	approve of
26	fall into place
27	realty
28	popularity
29	alchemy
30	crack
31	defect
32	avail oneself of
33	intuition
34	obesity
35	insofar as
36	restore
37	sneak
38	immense
39	eternal
40	forbid

page 89

번호	정답
1	a. 비이성적인, 무분별한
2	v. 압축하다, 꽉 누르다
3	v. 끄덕이다, (고개를) 까딱하다
4	v. 저해하다, 못하게 하다, 억제하다
5	n. 강도, 빈집털이, 밤도둑
6	n. 하수, 오물; 오수
7	v. 원인이 되는
8	n. 인용구, 인용; 견적
9	n. 교육; 수업료
10	p. 시작하다, [계약 따위를] 맺다
11	v. 규칙으로 명령하는, 의무적인, 필수의
12	v. 과잉, 과잉의
13	a. 비열한, 비천한
14	p. ~의 영향을 받지 않는
15	n. 치우친 사랑, 편애
16	v. 완전히 파괴하다, 유린하다, 황폐화하다
17	n. 적, 원수
18	v. 돌이켜보다, 추억하다; 추억, 회상
19	a. 통통한, 튼튼한; n. 흑맥주
20	v. 강화하다, 요새화하다

page 90

번호	정답
21	parliament
22	superstition
23	to that end
24	infer
25	lure
26	combustion
27	humid
28	dominate
29	at a 형 price
30	be conscious of
31	halve
32	reduce
33	constrict
34	act against one's will
35	eligible
36	in any case
37	extinct
38	illiterate
39	cultivate
40	stitch

Day 19

page 92

번호	정답
1	a. 공평한, 편견 없는
2	p. ~에 기초하다
3	v. 추방하다, 쫓아내다
4	a. 불법인, 법에 저촉되는
5	n. 기둥; 기념비; (신문) 칼럼
6	v. 알아보다, 식별하다; 인정하다
7	p. ~을 두려워하다, ~을 경외하다
8	v. 세게 밀다; 찌르다
9	v. 헐떡거리다, 숨이 막히다
10	p. A를 B 중심으로[B에 맞춰] 조절하다
11	v. 보존하다, 보호하다
12	v. 노력 v. 노력하다, ~쓰다
13	n. 계획, 책략; v. 책략을 꾸미다
14	a. 숙달된, 능숙한
15	v. ~을 법인으로 만들다; 합병하다; 포함하다
16	a. 매우 귀중한
17	v. 불만스럽게 하다, 불쾌하게 만들다
18	v. 뇌물 v. 뇌물을 주다; 매수하다
19	n. 신용 v. 신용하다
20	v. 상처 입히다, 다치게 하다

page 93

번호	정답
21	withdraw
22	at an early age
23	contribution
24	profess
25	in contact with
26	tragic
27	costly
28	hand in
29	inherent
30	ascribe
31	obsess
32	criterion
33	constitution
34	fit in with
35	given that
36	misuse
37	flatter
38	abstract
39	have difficulty in -ing
40	confidential

page 94

번호	정답
1	n. 얼룩; 얼룩지다, 더럽히다
2	v. 한정하다, 제한하다; 가두다, 감금하다
3	v. 굶주리다, 굶어 죽다, 굶기다, 굶겨 죽이다
4	n. 가시; 고통을 주는 것
5	p. ~에 취약한
6	p. A를 B로 끌어들이다
7	v. 조종하다, 조작하다; 잘 다루다
8	p. ~을 우연히 발견하다
9	v. ~에 대해 명령하다, 사과하다
10	p. 많은, 다량의
11	v. 묘사하다, 서술하다
12	p. 가까이에
13	n. 이익, 수익 v. 이익을 얻다
14	p. 낮은 가격으로
15	a. 부채가 있는, 빚이 있는; 은혜를 입은
16	a. 익은, 숙성한
17	a. 정확한, 정밀한
18	v. 확신시키다, 납득시키다, 수긍하게 하다
19	n. 적자, 부족액; 결손
20	p. ~에 냉담한

page 95

번호	정답
21	honour A with B
22	enlightenment
23	entrust
24	mast
25	withhold
26	valid
27	predator
28	cultivate
29	cumulative
30	breed
31	melancholy
32	draw A out
33	ferry
34	neglect
35	physiology
36	hold on
37	gloomy
38	nurture
39	elementary
40	swallow

Day 20

page 97

번호	정답
1	n. 홍보, 공표, 평판, 널리 알려짐
2	v. 임명하다, 공천하다
3	p. ~와 제휴하여, 협력하여
4	v. 살다, 서식하다
5	n. 운명, 파멸, 죽음
6	v. 껴안다, 받아들이다
7	a. 기름진, 비옥한
8	a. 절망적인, 자포자기의, 무모한; 필사적인
9	v. 빛을 비추다, 밝히다
10	v. 수확하다
11	n. 등장, 출현
12	v. 숨기다
13	v. 기어가다
14	p. ~에서 벗어난
15	v. 매료하다, 매혹시키다
16	p. (계획, 제의 등을) 받아들이다 / 어울리다
17	v. 취소하다, 중지하다
18	v. 차지하다, 점령하다
19	n. 화물 목록; a. 명백한; v. 분명히 나타내다
20	n. 부분, 조각 v. 분할하다

page 98

번호	정답
21	a great deal of
22	vicious
23	mature
24	cut from the same cloth
25	imply
26	blow away
27	appropriate
28	obtain
29	couple A with B
30	indicate
31	ruthless
32	legitimate
33	deed
34	catch oneself
35	mutual
36	assure
37	determine
38	in the mood for
39	insulate
40	hereby

page 99

번호	정답
1	p. ~하고 싶은, ~에 마음이 내켜서
2	n. 불행, 고통, 비참(함)
3	v. 구두점을 찍다, (말을) 중단시키다
4	n. 얼룩; v. 마구 바르다, 더럽히다
5	a. (대단히) 사랑하는
6	n. 등장, 출현
7	p. 그만큼 더
8	a. 의식 절차; 의식상의, 의례적인
9	p. B보다 A를 더 선호하다
10	p. ~에 기초하다
11	a. 이용되지 않은, 미개발의
12	v. 허락하다, 인가하다
13	v. 서서히 사라지다
14	v. 갈기갈기 찢다, 째다
15	p. ~을 허용하다, ~을 가능하게 하다
16	a. 신경의
17	a. 열의, 보온성이 좋은
18	v. 노력 v. 노력하다, 애쓰다
19	a. 유능한, 능숙한
20	p. ~일리가 있다; 장점이 있다

page 100

번호	정답
21	anticipate
22	summit
23	illiterate
24	ruthless
25	subordinate
26	hit the books
27	notate
28	compel
29	cemetery
30	marvel
31	consecutive
32	restrict
33	haste
34	significant
35	coverage
36	immune to N
37	alchemy
38	scent
39	expend
40	foe

Day 21		Day 22		Day 23		Day 24	
page 102		**page 107**		**page 112**		**page 117**	
번호	정답	번호	정답	번호	정답	번호	정답
1	n. 필수품 a. 필요한	1	p. ~에도 불구하고, ~에 직면하여	1	n. 활동; 업무; 사건, 스캔들; 불륜, 정사	1	p. 쇠퇴하여, 기울어
2	v. 닦다, 윤내다 n. 광택제	2	v. 산산이 부수다; n. 파편	2	n. 경계면 v. 조정하다; 접촉하다, 접속하다	2	a. 잔혹한, 잔인한
3	a. 세계적인, 국제적인	3	a. 규칙으로 명령하는, 의무적인, 필수의	3	p. 잘라버리다; 서둘러 떠나다	3	v. 조배다, 짜인대다, 답싸안대다, 죽이다, 에서 다
4	v. 울타리로 가로 막다, 난처하다	4	n. 갈대, 갈대밭	4	v. 우연히 만나다	4	p. 일으키다, 야기하다, 초래하다; 낳다
5	p. ~의 방식대로	5	v. 내포하다, 넌지시 나타내다, 암시하다	5	n. 몰수, 장악; 발작, 경련	5	a. 도덕적인
6	a. 괴짜인, 별난	6	v. 모으다, 축적하다, 누적시키다, 점차 늘어나다	6	v. 갱신하다, 재허가하다, 재확인하다	6	v. 환대하다, 후한 대접
7	p. ~하기만 하면	7	a. 비극적인	7	p. 물러나다, (하기로 했던 일에서) 빠지다	7	v. 용인하다, 너그럽게 보아주다
8	a. 한심한, 형편없는; 애처로운	8	v. 믿음을 주다(믿고 맡기다)	8	v. 키를 잡다, 조종하다; 이끌다, 나아가게 하다	8	n. 상인, 무역상
9	n. 복수 a. 여러 개의	9	p. 대게, 흔히	9	p. ~을 떠올리다, ~을 생각해 내다	9	a. ~에 열중하고 있는
10	p. 출발하다	10	p. 일찍이, 어린 나이에	10	p. 도와주다	10	v. 법률을 제정하다
11	v. 줄이다	11	a. 지켜보는, 주의 깊은	11	a. 또렷한, 명백한, 외견상의, 걸보기에는	11	p. (특히 나쁜 영향을 받아) ~될 수 있는
12	a. 위태로운, 위험한, 비판적인; 중요한	12	p. ~와 조화를 이루다, 일치하다	12	a. 임신한; 내포한, 의미 심장한; 풍요한, 충만한	12	p. 고장이 나다
13	a. 진짜의; 진실된	13	n. 자치주, 군(미국 대부분 주의 최소 행정 구역)	13	p. ~에 대한	13	v. 거절하다, 사절하다
14	p. ~에서 자신의 몫을 다하다	14	p. 기껏해야	14	n. 선박; 혈관; 용기	14	v. (법률을) 제정하다, 규정하다
15	n. 큰 슬픔	15	p. (계획, 제의 등을) 받아들이다 / 어울리다	15	v. 풀다, 열다; 망치다; 원상태로 돌리다	15	a. 불의, 불결은, 화염의
16	n. 희생; 제물 v. 희생하다, 바치다	16	v. 고집하다, 노력하다, 견디다	16	v. 시작하다, 시작되다, 개시하다; 학위를 받다	16	p. 바로 지금, 이 순간에도
17	v. 분배하다, 배포하다, 분류 배치하다	17	v. 정렬시키다; 잘 차려 입히다 n. 대형, 배치	17	p. ~와 협의하여	17	n. 폭행, 폭력; 격렬함
18	a. 심미적, 미학적, 미적인	18	v. 문지르다	18	a. 신성한; 종교적인	18	n. 박차, 자극 v. 원동력이 되다
19	v. 유지하다; 부상을 입다; 지지하다; 부양하다	19	p. ~을 넘어서다, ~을 지나가다	19	v. 할당하다, 배당하다	19	n. 단편, 일부, 소량; 분수
20	v. 결심하다; 해결하다	20	n. 소질, 적성	20	v. 짜증나게 하다; (피부 등을) 자극하다	20	a. 기이한, 기묘한
page 103		**page 108**		**page 113**		**page 118**	
번호	정답	번호	정답	번호	정답	번호	정답
21	tyrant	21	proclaim	21	hostage	21	consistent with
22	by now	22	hostility	22	fulfill	22	go for
23	overtake	23	verdict	23	barometer	23	disturb
24	discipline	24	raid	24	resist	24	perplex
25	fury	25	exterminate	25	optical	25	monetary
26	assemble	26	defeat	26	clean out	26	exclusive
27	deplete	27	opposite to N	27	compatible	27	catholic
28	go along with	28	in one's interest	28	admit	28	exclaim
29	discharge	29	liken	29	prosper	29	backfire
30	persist in	30	folklore	30	deprive A of B	30	propel
31	heritage	31	oppress	31	get A out of the way	31	come in handy
32	enchant	32	query	32	drain	32	be prone to do
33	undertake	33	admiral	33	verify	33	eliminate
34	enlist	34	away from	34	refer to N	34	prestige
35	draw on	35	mortgage	35	associate	35	fabulous
36	strike a deal	36	as it were	36	chronic	36	aptitude
37	outdo	37	on one's feet	37	sumptuous	37	cling
38	execute	38	submerge	38	obscure	38	meditate
39	fragile	39	mimic	39	ban	39	suit
40	in case of	40	inherit from	40	malnutrition	40	prominent
page 104		**page 109**		**page 114**		**page 119**	
번호	정답	번호	정답	번호	정답	번호	정답
1	p. B보다 A를 더 선호하다	1	v. 경감시키다, 완화시키다	1	p. A를 B와 혼동하다	1	a. 적시의, 시기 적절한
2	n. 깨달음	2	v. 갈기갈기 찢다, 째다	2	v. 강화하다, 요새화하다	2	v. 실을 꿰다 n. 실
3	n. 부분, 조각 v. 분할하다	3	v. 닮다, 비슷하다	3	v. 회복시키다, 복구하다	3	v. 잘못 사용하다, 학대하다, 실패하다, 유산하다
4	v. 익사하다, 익사시키다	4	n. 속도, 빠른 속도	4	n. 국회 v. 모이다	4	a. 장엄한, 당당한
5	p. 잇달아, 연이어	5	n. 유입, 유입량	5	p. 헛된, 근거 없는	5	v. (돈, 시간, 노력 등을) 쏟다, 들이다
6	v. ~탓으로 돌리다; n. 속성, 성질	6	v. 약속하다, 참가하다; 사용하다; 고용하다	6	p. A를 당연하게 여기다	6	v. 문지르다
7	a. 사춘기 청소년의, 청년의	7	v. 예상하다, 기대하다	7	v. 막다, 방해하다	7	n. 불면증
8	a. 매우 귀중한	8	v. 고정화시키다, 굳어버리게 하다	8	a. 바깥의, 해외의, 이국적인	8	v. 말뚝을 뽑다, 분리하다, 파견하다
9	p. ~에 붙어 있다	9	p. 따라오지 않는(무질서)	9	n. 합성물, 합성어 v. 혼합하다, 합성하다	9	n. 군중, 폭도, 떼
10	p. ~하는 것으로 보이다	10	n. 의식 절차; 의식상의, 의례적인	10	v. 다루다, 대처하다	10	a. 치명적인, 극도의
11	v. 구성하다	11	v. 줄이다, 낮추다	11	a. 신진대사의, 물질대사의	11	v. 복제하다, 되풀이하다 a. 복제의 n. 복제
12	v. 매료하다, 매혹시키다	12	n. 보도, 방송, 보급	12	n. 추론, 연역, 공제; 공제액	12	v. 의뢰하다; 주문하다 n. 위원회; 후견인
13	a. 널리 퍼져 있는 n. 유행(병)	13	v. 가까워지다, 근접하다 a. 근사치의, 대략적인	13	n. (시계의) 추, 진자	13	a. ~에 열중하고 있는
14	p. ~하려는 노력으로	14	p. ~로부터 떨어져	14	a. 지나간, 과거의	14	n. 부분, 조각 v. 분할하다
15	n. 퇴비, 두엄 v. 퇴비를 만들다	15	a. 거대한, 엄청난, 막대한	15	v. 꾀다, 유혹하다	15	n. 비율; 조화, 균형
16	v. 흐느껴 울다	16	a. 빽빽한; 간결한 n. 협정, 계약	16	v. 확신시키다, 보장하다	16	n. 결점, 결함, 결핍
17	v. 탐닉하다, ~에 빠지다; 내버려 두다	17	v. 성큼성큼 걷다, 활보하다; 큰 걸음, 보폭	17	v. 습격, 급습; v. 급습하다	17	p. (주장 등을) 굽히다, 양보하다
18	p. 고려 중인	18	p. 운동하다; 알아내다, 해결하다; 계산하다	18	v. 압축하다, 액화되다, 고체화되다	18	p. 결론적으로, 끝으로
19	n. 불운, 불행	19	v. 시들다, 말라 죽다	19	n. 저장소, 저수지	19	a. 장엄한, 화려한, 훌륭한
20	p. ~에 문제가 있다; ~에 반대하다	20	a. 부서지기 쉬운, 깨지기 쉬운; 허약한	20	v. 조사하다, 검사하다	20	n. 강도, 빈집털이, 밤도둑
page 105		**page 110**		**page 115**		**page 120**	
번호	정답	번호	정답	번호	정답	번호	정답
21	comply	21	diplomacy	21	verify	21	indifferent
22	notable	22	at the height of	22	shatter	22	pendulum
23	implement	23	in the face of	23	protest	23	neutral
24	be scared of	24	a quantity of	24	grasp	24	rear
25	hibernate	25	accentuate	25	starve	25	catch hold of
26	ruin	26	fundamental	26	integrate A with B	26	critical
27	potable	27	fortify	27	conduct	27	decade
28	definite	28	significant	28	relieve	28	ritual
29	insist	29	outlandish	29	call after	29	commend
30	eccentric	30	prefer A to B	30	break in	30	pursue
31	insomnia	31	predator	31	crack	31	watchful
32	hand over	32	compress	32	charity	32	have an impact on
33	relieve	33	fate	33	subtract	33	peer
34	catch hold of	34	come to one's rescue	34	resolve	34	be frightened of
35	enter into	35	adapt to N	35	opposite to N	35	around the clock
36	reprove	36	wholesome	36	hold on	36	sew
37	limp	37	obesity	37	depict	37	stout
38	fit in with	38	come about	38	adore	38	gracious
39	at times	39	at a low price	39	reverse	39	confuse A with B
40	ripe	40	reside	40	displease	40	outset

Day 25

page 122

번호	정답
1	v. 휙 뒤집다 n. 곤두박질, 재주 넘기
2	p. 대다수의
3	n. 땀, 발한; 엄청난 노력
4	n. 충동, 자극
5	n. (남자) 수도원
6	n. 오르다; 승진하다
7	v. 생략하다, 빠뜨리다
8	a. 경향이 있는, ~하기 쉬운; 어드려 있는
9	n. 주석(원소기호 Sn), 통조림; (원통형) 통
10	a. 애매한, 막연한
11	p. 선호하는 일, 기호[취미]에 맞는 일
12	p. 반값 할인
13	v. 주다, 수여하다
14	v. 인정하다; 사례하다, 감사하다
15	n. 장비, 병기
16	a. 자외선의
17	a. 불가피한, 부득이한, 필연적인
18	v. 제조하다, 생산하다, 만들다 n. 제조, 생산
19	p. 외워서
20	p. A를 세우다, A를 정지시키다

page 123

번호	정답
21	calculate
22	greed
23	enroll
24	patron
25	barren
26	disrupt
27	odor
28	go off
29	divert
30	factual
31	at most
32	accumulate
33	endure
34	successive
35	get a handle on
36	numerous
37	keep up to date
38	shorthand
39	jump to a conclusion
40	fixate

page 124

번호	정답
1	v. 아첨하다, 추켜세우다
2	v. 갱신하다, 재허가하다, 재확인하다
3	v. 법률을 제정하다
4	v. 마비시키다, 활동 불능이 되게 하다
5	a. 강렬한, 치열한, 심한
6	p. 항상
7	n. 운명, 파멸, 죽음
8	a. 이국풍의, 색다른, 이상한, 기이한
9	p. ~을 받다; ~을 겪다
10	p. (이미 일이 벌어지고 난) 사후에
11	n. 통계; 통계학, 통계 자료
12	p. (더는 문제가 되지 않도록) A를 치우다
13	a. 사욕이 없는, 공평한, 흥미가 없는
14	n. 목수
15	a. 순종하는
16	a. 합법의, 적법의
17	n. 투표
18	a. 호화로운, 값비싼
19	v. 단열 처리를 하다, 방음 처리를 하다
20	v. ~을 법인으로 만들다; 합병하다; 포함하다

page 125

번호	정답
21	catastrophe
22	remark
23	relieve
24	adjust to N
25	esteem
26	grasp
27	end up
28	shred
29	avail oneself of
30	decree
31	dismiss
32	by law
33	coordinate
34	congress
35	exile
36	eccentric
37	exploit
38	execute
39	opposite to N
40	get a handle on

무지개보카 고등 초급 워크북

발 행 | 2024년 3월 6일
저 자 | 김동원
펴낸이 | 한건희
펴낸곳 | 주식회사 부크크
출판사등록 | 2014.07.15(제2014-16호)
주 소 | 서울특별시 금천구 가산디지털1로 110 SK트윈타워 A동 305호
전 화 | 1670-8316
이메일 | info@bookk.co.kr

ISBN | 979-11-410-7524-8

www.bookk.co.kr
ⓒ 김동원 2024
